엄마 몰래 내 본 책

물듦

호연

나래

———————————— 드림

엄마 몰래 내 본 책

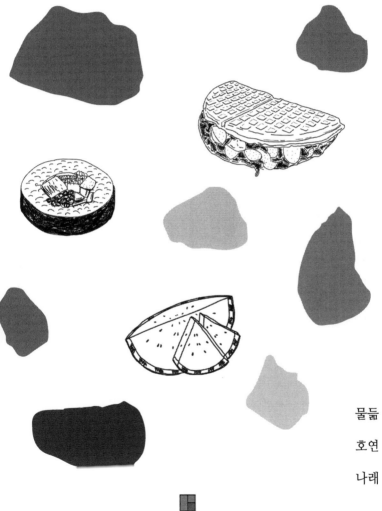

물듦

호연

나래

4

여는글

눈부신 해가 떠도 햇살이 닿지 않는 마음 한 구석에는 언제나 색이 바래지 않고 남아있는 자신만의 기억이 있습니다. 입으로 뱉어내기엔 그 기억이 너무 쉽게 공중으로 날아 흩어지기에 조심스레 꺼내어져 글에 눅진하게 담겼습니다.

진솔한 이야기가 입으로 들어와 입술을 미소짓게 합니다. 오물오물 거리다 좁은 목구멍으로 꿀꺽 삼켜봅니다. 가슴까지 내려와 한 구석에 닿았을 때는 체한 것 처럼 먹먹합니다.

사람은 타인보다 글과 얼굴을 마주했을 때 더욱 솔직해집니다. 당신도 이 책 앞에서 억지로 웃거나 일부러 슬퍼하는 표정을 짓지 않아도 됩니다. 이 책을 덮을 즈음 당신의 마음에도 따스한 볕이 닿기 바랍니다.

기억은 색이 바래도 괜찮습니다.

보풀

차 례

물듦

삶이 나를 겨누어 내 몸 군데군데 단상이 박혔다.
그것을 꺼내어 켜켜이 글로 쌓는다.
자유의지가 아닌데 한 번의 숨에도
수많은 사람과 여러 기억을 더듬더듬한다.
맞닿은 잡념들의 틈으로 언젠가 도망치리.

@mool.dm

thinkfeellove@naver.com

냠냠

물듬

소풍을 가면 도시락 뚜껑을 되도록 제일 늦게 열었다. 혹시 친구들이 김밥을 먹기 시작하느라 정신이 없어서 내 도시락을 슬쩍 지나칠 수 있을 거란 기대였다. 하지만 영락없이 내가 뚜껑을 열자 주변의 시선이 쏠렸다.

"어?! 김밥 못 싸 왔네?"
"무슨 일 있었어?"
"자! 내 김밥 먹어."
"내 것도!"
"내 것도 먹고 싶으면 말해. 줄게."
"야, ○○이 김밥 못 싸 왔나 봐."
"어, 진짜? 왜?"

내 도시락에는 흰쌀밥과 김치 볶음 반찬 한 개. 야외라서 그런지 시큼한 김치 향이 코끝을 톡 쏘았다.

학창 시절, 누구나 소풍날에는 김밥을 싸 왔다. 지금처럼 다양한 소풍 도시락 메뉴가 없었다. 속 재료의 미미한 차이였을 뿐 도시락은 단연코 단일메뉴였다. 당시 김밥을 파는 곳도 마땅치 않았다. 대다수 엄마들은 아침 일찍 일어나 김밥을 말았다.

그 모습을 상상해 본다.

소풍날 아침, 기분 좋게 눈을 비비며 잠에서 깬다. 아직 이불에서 나오지도 않았는데 고소한 냄새가 난다. 김밥 위에 발라진 참기름 냄새가 온 집안을 뒤덮었다. 그 냄새는 발이 달렸는지 방까지 달려와 코를 간지럽힌다. '오늘은 소풍날이야!' 라고 알려주는 일련의 신호 같다. 세수도 안 하고 주방으로 달려갔다. 엄마에게 묻는다.

"오늘은 무슨 김밥이에요? 치즈김밥? 참치김밥?"

두툼하고 통통한 김밥이 도마 위에 듬직하게 누워있다. 참기름으로 샤워를 한 듯 반질반질하고 매끄러운 윤기를 자르르 뽐낸다. 먹기 좋게 썰린 김밥들은 꽃무늬 접시 위에 뾰족한 산 모양으로 쌓여 있다. 꼬투리 김밥 몇 개는 터졌는지 짝 잃은 비닐장갑과 함께 사각 쟁반에 엉성하게 모아져있다. 그날 온 가족 저녁 메뉴도 정해진 셈이다. 김밥!
엄지와 검지로 김밥 한 개를 집고 입을 쩌-억 크게 벌려본다. 김밥을 입 안에 넣고 우물우물 거리다가 이내 방정맞게 쩝쩝 소리를 낸다. 고소하면서 짭조름하면서 쫀득하면서 아삭하면서 폭신하면서 달달하면서... 입안에 축제가 벌어졌다.

김밥은 맛있다.

현실은 맨밥과 김치 반찬 한 개.

소풍날만큼은 딱 위로받기 좋은 소재였다. 소풍날 위로받고 싶은 사람은 아무도 없다. 내 도시락에는 그들이 하나씩 주는 김밥이 잔뜩 산처럼 쌓였다. 그때마다 나는 '고마워, 고마워'를 연발했다. 김밥을 먹지 못했던 소풍은 단 한 번도 없었다. 하지만 나는 '엄마의 김밥'을 먹고 싶었다.

엄마는 내가 초등학교 4학년 때부터 일을 잠시 쉬었다. 그래도 김밥은 싸주지 않았다. 6학년 때 나는 반장이 되었다. 엄마에게 반장이 되었으니 제발 소풍에 김밥을 싸달라며 징징 짜는 목소리로 떼를 쓰고 앙알앙알 졸랐다.

결국. 엄마가 김밥을 말았다.
김밥! 내 사랑 김밥!

역사적인 그날. 내가 맞았던 모든 소풍 중 가장 기쁜 날이었다. 학창 시절 중 기억에 남는 날을 꼽으라면 이날은 무조건 뽑힐 것이다. 상상처럼 김밥이 식탁 위에 잔뜩 쌓여있었다. 행복했다.

밥이 너무 되지 않고 눅진하고 차졌다. 밥 양념은 적당히 짭조름했다. 엄마는 시금치가 아니라 오이를 소금에 절여 넣어주셨다. 내가 싫어하는 당근조차 달달했다. 당근을 오랫동안 볶았는지 식감이 부드러웠다. 이제껏 먹어 온갖 친구들의 김밥과 비교할 수 없이 맛있었다.

어디로 소풍을 갔는지, 친구들과 무슨 추억을 쌓았는지. 아무 기억이 없다. 그저 내가 김밥을 들고 소풍을 갔다는 것뿐. 그리고 점심시간에 당당하게 도시락을 열었던 기억.

'나도 엄마 김밥을 싸 왔어... 나도...!'

엄마는 내가 김밥을 싸달라고 할 때마다 그게 얼마나 힘든 줄 알기나 하냐고 되물었다. 시간이 오래 걸리는지라 새벽에 일어나 야채마다 따로 볶아야 한다며, 손이 보통 많이 가는 음식이 아니라고 말했다. 초, 중, 고등학교 총 12년간, 엄마는 내가 초등학교 6학년 소풍을 가던 날, 그날 딱 하루 김밥을 싸줬다.

고등학생이 됐을 때도 여전히 엄마의 김밥을 먹고 싶었지만 김밥을 싸달라고 칭얼거릴 나이를 넘겼다고 생각했다. 그즈음 동네마다 생긴 김밥천국에서 김밥을 사서 소풍을 갔다. 맨밥을 싸갈 때보다 친구들의 위로 섞인 시선을 덜 받을 수 있었다.

그리곤 한동안 잊혔던 그 눈빛. 남편에게 이 이야기를 했더니 그가 안쓰러운 눈빛을 보였다. 소풍 때 내가 맨밥을 꺼낼 때 친구들이 줄곧 보내왔던 그 표정. 20여 년이 흘러도 김밥은 참 위대한 음식인가 보다.

나는 여전히 김밥을 좋아한다.
시금치가 아닌 간이 밴 오이가 들어간 김밥을 먹을 때면 늘 초등학교 6학년 소풍날 아침이 생각난다.

나는 아직도 엄마의 김밥을 먹고 싶다.

냠냠.

냠냠하다 표준국어대사전
[형용사] 음식을 먹고 난 뒤에 성에 차지 않아 더 먹고 싶다.

시곗
바늘

물듦

교육심리학에 '사회적 시계(社會的 時計, Social Clock)'라는 용어가 있다.

사회구성원들이 특정한 시기에 기대되는 결과를 이루도록 요구받는 것. 소셜클럭. 스무 살에는 대학을 가야하고, 이십 대 중반에는 직업을 — 되도록 정규직을 — 가져야 하고, 취업한 후에는 결혼을 해야하고, 결혼한 후에는 내 집 마련과 출산 등을 기대하는 사회적 분위기가 바로 그것이다.

런던에 있을 때 'You are still young.(넌 아직 젊어.)'란 말을 자주 들었다. 한국에서는 '너 그러다 늦어.(You're gonna be late.)'라는 말을 더 많이 들은 것 같다.

비단 나만 그런 이야기를 들은 것은 아닌 것 같다. 누군가는 그런 소셜클럭에 쫓기기도 한다. 런던에서 터키인 가정의 보모로 일을 했는데 몇 년 뒤 그 집에 놀러갔을 때 이런 말을 들었다. 내 후임자로 온 한국인 여학생이 결혼을 걱정하면서 이렇게 말하곤 했다고 한다.

'크리스마스 케이크는 12월 24일까지 불티나게 팔린다. 25일에도 그럭저럭 팔린다. 하지만 26일이 되면 아무도 그 케이크를 사지 않으려한다. 여자도 결혼에 있어서 크리스마스 케이크와 같다.'

어쩌다 그 지경이 되도록 소셜클럭에 쫓기게 되었을까. 그녀가 안쓰럽기도 했고 한편으론 황당했다. 하지만 나라고 얼마나 그 시계로부터 자유로운가. 런던에서 인천국제공항으로 돌아오는 비행기 안에서 숨이 막힐 것 같은 갑갑함을 느낀 적이 있다. 한국에 발을 내딛는 순간, 거침없이 돌아가는 시침과 분침에 맞춰 뛰어야 한다고 생각하니 몸에 흐르고 있는 피가 시퍼렇게 질렸다.

우리 사회의 소셜클럭은 꽤 엄격하다고 느낀다. 학생 때는 주변에서 재수해서 대학을 1년이라도 늦게 입학하면 인생의 영원한 지각생이 될 것처럼 공포감을 주었다. 대학생이 되어 여행하겠다고 휴학할 때도 신중 하라는 조언을 들었다. 졸업이 늦어지면 취업과 결혼이 줄줄이 늦어질 거란 이유에서였다. 결혼과 출산이 늦어지면 노년에 힘들 거라는 말도 들었다.

나는 대학 이후로는 소셜클럭을 꾸준히 지키지 못했다.

엄마는 중요한 일이 있을 때 늘 기도를 한다. 특히 내가 소셜클럭을 지키지 못할 때마다 더욱 열중한다. 즉 내 인생의 시곗바늘이 늦을수록 엄마가 절하는 횟수는 늘었다. 그녀의 무릎 연골의 반은 내 인생의 시곗바늘이 닳게 했다.

엄마의 신앙심이 깊어지는 걸 보면 가슴이 아프다.

엄마는 유튜브를 통해 열심히 법문을 듣고 한 스님을 깊이 존경해왔다. 그 스님이 몸담고 계신 사찰에서 점안식이 있다고 하여 그 현장에

꼭 가고 싶다고 하셨다. 비행기를 타고 함께 그곳에 갔다. 엄마는 사찰 전반을 담당하는 보살님을 위한 선물도 준비하셨다. 내가 사준 천연 염색 가방이었다. 아끼느라 쓰지 않고 잘 보관해둔 새 가방. 나는 알고 있다. 그것이 뇌물이라는 것을.

수천 명이 모인 큰 행사였다. 엄마는 유튜브에서만 보던 큰스님을 직접 만나 뵈려고 수천 명이 떠날 때까지 기다렸다. 한산해지고 나서야 스님을 만날 수 있었다. 스님과 함께 사진을 찍어드렸다. 마치 아이돌을 만난 여학생 같았다. 그리곤 엄마가 무슨 말씀을 드린 건지 아니면 선물을 받은 보살님이 스님께 귀띔한 건지. 스님이 쓰시던 염주를 비롯해 여러 가지 선물을 스님께 직접 받을 수 있었다.

한산해진 사찰에서 어슬렁거리고 있던 내게 엄마가 말했다.
"엄마 108배 할거야."

엄마는 스님의 공덕에 너무 기뻤던 것이다. 행사정리에 바쁜 큰 법당에서 홀로 108배를 시작했다.

엄마의 작은 체구는 빠르게 움직였다. 그 모습을 보고 있자니 먹먹한 감정의 굴절을 느꼈다. 못난 나 때문에 엄마의 인생에는 그동안 얼마나 많은 108배가 있어왔을까. 졸업을 제때 못해서, 매번 시험에 낙방해서, 취업과 결혼이 늦어져서. 내 시곗바늘은 왜 그렇게 느렸던 것인지.

옆에서 우두커니 지켜만 볼 수 없었다. 뒤늦게 옆에서 절하기 시작했다. 겨우 열 번 했는데도 땀이 삘삘 나고 다리가 점점 굳어져 왔다. 절을 다 하고 나니 다리가 후들거렸다. 엄마는 계단을 총총총 빠르게 내려가 뒤돌아 내 후들거리는 다리를 보더니 조심히 내려오라고 말했다. 괜히 부끄러웠다.

그리고 미안했다. 엄마는 내가 본인과 같은 기도 제목을 가지고 절을 했다고 믿었기 때문이다. 하지만 전혀 그렇지 못했다. 나는 내 자신을 위해 기도하지 않는다. 한 번도 소셜클럭에 맞게 살게 해달라고 즉 시곗바늘이 정각에 딱딱 맞게 도착하게 해달라고 기도해본 적이 없다. 대학도, 시험도, 취업도, 결혼도 그 무엇도.

내 인생에 무슨 일을 맞닥뜨리건 나의 기도 제목은 늘 같다. '부모님이 화목하게 살아가기를 그리고 건강하게 오래 살게 해달라'는 것. 그날도 마찬가지였다. 어쩌면, 나는 아주 '격렬하게' 나 자신을 위해 기도하는 것일지도 모른다. 인생에서 가장 원하는 것을 기도하는 것, 그것이 가장 '나 자신'을 위한 기도이니까.

내 인생의 시곗바늘이 남보다 느렸던 것처럼 아빠와 엄마의 시곗바늘도 천천히 갔으면 좋겠다.

사회적 시계 社會的 時計 social clock 교육심리학용어사전
사회적 기대에 비추어 개인의 성장과 발달을 평가하는 기준을 뜻한다. 각사회는 교육, 결혼, 취업, 자녀 출산 등과 같이 인생의 주기에서 겪는 사건들에 대해 저령기가 있다고 본다. 이 시기보다 빠른 성숙을 보 숙했다거나 인생의 주기가 빨리 왔다는 말을 듣게 된다. 반면, 사회적 기대보다 주기가 늦게 오면 '결혼 이 늦었다', '공부가 늦었다', '출산이 너무 늦었다' 등의 말을 자연스럽게 듣게 된다.

비

물듦

"Good morning."

외국인들과 함께 살면서 'Good morning'으로 하루를 시작하고 'Good night'으로 하루를 닫았다. 영어를 영어로 배우고, 친구들과 영어로 대화하고, 집에 와서 영어로 일기를 썼다. 나는 이미 한국에서 영어교사로 1년을 일하고 그 돈을 모아 런던에 와 있었다.

나의 첫 영어선생님은 아빠다.

어디서 배웠는지 정확히 알 수 없지만 누구나 부를 수 있는 ABC송 외에 나의 첫 영어공부라 말할 수 있는 건 아빠와 함께였다.

astronaut [애스트러넡] 우주비행사

아빠는 굵은 테두리에 알록달록 색칠된 그림이 가득한 어린이용 영어 단어책을 샀다. 그림 밑에 써진 영어단어 스펠링 옆에는 한글로 발

음이 표기되어 있었다. astronaut [애스트러넡] 이렇게. 언니와 나에게
영어단어를 외우라고 시키고 시험도 봤다. 아빠가 우리말 뜻을 말하
면 영어로 대답해야 했다.

'애트스.. 애스트.. 애스토르..?' 우주비행사란 단어는 아직도 기억에
남아있다. 어찌나 스펠링이 길고 발음도 어려운지 낑낑댔다. 파닉스
도 공부하지 않은 상태라 스펠링 옆에 써져있는 한글발음을 따라 읽으
며 공부했다. 그래도 아빠와 함께 꾸역꾸역 노력하다보니 한권을 모
두 외우게 되었다. 내 생애 첫 영어 단어책을 마친 기록이다.

우주비행사를 발음하기도 어려웠던 내가 영어선생님이 되었다. 그
리고 어느새 런던에 와있고 영어로 대화하는 것이 편했다. 그곳에 머
무는 동안 아빠와 언니가 패키지여행을 통해 런던에 방문했다. 패키
지 팀으로부터 나와서 셋이 런던을 구경했다. 우리가 함께 할 수 있는
건 단 2박 3일이었다.

아빠는 음식을 가리지 않는다. 해외에 가면 항상 색다른 음식에 도전
하는 것을 좋아한다. 아빠와 영국 펍(술과 음식을 파는 곳)에 가서 잉
글리시 브랙퍼스트(영국식 아침식사)와 피쉬앤칩스(흰살생선튀김과
감자요리)를 먹었다. 런던에서 만난 친구들, 학교, 교통, 정치 등 여러
가지 이야기를 해드렸다. 관광지도 함께 갔다. 런던아이도 타고 빅벤
과 타워브리지 앞에서 사진도 찍었다. 다행히 날씨가 화창했다.

런던의 가이드가 된 마냥 곳곳의 명소를 속성으로 소개했다. 내가 OO투어 깃발만 들지 않았을 뿐 아빠와 언니는 모든 의사소통을 나에게 의지한 채 쪼르르 쫓아다녔다.

언니는 좀 더 런던에 머물기로 하고 아빠만 한국으로 먼저 귀국하기로 했다. 함께 런던 히드로 공항으로 향했다. 나는 아빠에게 여권을 잘 챙겼냐고 몇 번 되물었다. 체크인 수속을 해드리고 비행기표를 건네며 그 위에 써져있는 게이트가 몇 번인지 여러 번 확인시켜 드렸다. 아빠의 한국 휴대폰에 내 영국 휴대폰 번호를 입력해 드렸다. 짐 검사와 비행기 탑승 대기 중 무슨 일이 있거나 무슨 말인지 못 알아듣겠으면 그 번호로 전화하라고 말했다. 국제전화 요금은 생각하지 말고 그냥 바로 전화하라고. 그렇게 신신당부를 하고 입국장으로 아빠를 보내드렸다.

불안했다. 영어로 의사소통이 전혀 안 되는 아빠를 홀로 거대한 히드로 공항의 입국장으로 보내는 마음은 이내 편치 못했다. 아빠가 국제미아라도 될까봐 초조해하고 있었다. 마치 어린아이를 바라보듯.

아빠는 입국장 출구에서 몇 번 손을 흔들더니 뒤돌아보지 않고 계속 앞만 보고 걸어가셨다. 그 모습을 놓칠세라 목을 있는 힘껏 빼면서 바라봤다.

뒷모습이 보였다. 머리는 염색물이 빠져 희끗희끗했고 그마저도 숱이 얼마 없었다. 짐이 무거워서 그랬던 걸까. 아빠의 어깨는 많이 쳐져있었다. 내 기억보다 아빠의 어깨는 그리 넓지 않았다. 아빠는 너무 작았다.

그의 모습이 보이지 않도록 계속 그 자리에 우두커니 서있었다. 수많은 사람들 사이 어딘가로 사라져 더 이상 보이지 않았다. 그렇지만 공항에서 쉽사리 발을 떼지 못했다. 노파심에 비행기가 이륙하기를 기다리고 전광판에 이륙완료 표기가 뜨자 그제야 집으로 향했다. 히드로 공항은 런던의 서쪽이고 내가 머무는 집은 동쪽이라 돌아오는 길이 길고도 멀었다.

집에 도착하도록 내내 아빠의 뒷모습 떠올랐다. 이상하도록 머릿속에서 잊히지 않았다. 살아오면서 아빠의 뒷모습을 이렇게 오래도록 바라본 적이 있을까.

런던의 그 밤, 나는 일기를 영어로 썼다.

그리고 내 방에 비가 쪼르르 내렸다.

쪼르르 [부사]

[부사] 작은 발걸음을 재게 움직여 걷거나 따라다니는 모양.

[부사] 가는 물줄기 따위가 빠르게 흘러내리는 소리.

:: Father   아버지 ::

There're hundreds of adjectives that describe the word 'mother'.

'어머니'를 묘사하는 형용사는 수백 가지가 있다.

However there are no words that can describe 'father'.

하지만 '아버지'는 어떤 단어로도 형용할 수 없다.

He is my father and my father is himself.

그는 나의 아버지이고 나의 아버지는 그 자신이다.

I spent only two nights with you in London then you left here.

아빠는 나와 런던에서 겨우 두 밤을 보내고 이곳을 떠났다.

I feel like I suddenly lost a part of my heart.

그런데 내 마음 한 부분을 갑작스레 잃은 것 같다.

From the back, you always look lonely.

당신의 뒷모습에서 언제나 외로움을 느낀다.

I already miss you.

나는 벌써 당신이 그립다.

2013.9.24

포만감

물듦

"자니?"

새벽. 캄캄한 방의 문이 빼꼼 열리고 빛이 조심스럽게 새어 들어왔다. 그 빛과 함께 엄마의 목소리가 방안으로 슬며시 들려왔다. 양손으로 눈을 비비적거리며 잠이 덜 깬 목소리로 대답했다.

"...깼어요."
"우동 먹으러 갈래?"

누구나 추억의 음식이 있다. 기계우동이 나의 그것이다.

인천지하철 작전역 8번 출구 앞 낡은 상가 1층에는 기계우동집이 있다. 90년대에는 그 근처 어딘가 차 없는 늦은 밤이 되면 도로 한복판에 포장마차가 열렸고 그곳에서 기계우동을 팔았다.

언니와 나는 초등학생이었다. 아빠와 엄마는 일회용품 배달업을 했다. 그들은 우리가 아침에 일어나기 전에 일찍 집을 나섰고 또 잠이 들고 난 후에야 돌아왔다. 아마도 그랬을 것이다. 그들의 얼굴을 볼 수 없었다. 어린 나이라 가늠이 되지 않았지만 초등학생이 느끼기에 나의 부모는 24시간 일하는 사람들이었다. 내가 깨어있는 모든 시간에 그들은 일하고 있었으니까.

언니는 아빠와 엄마가 없는 텅 빈 집에서 곧잘 잠이 들었다. 나는 그

렇지 못했다. 부모님이 무사히 집에 오실까 걱정했다. 때론 어두운 밤
길에 차 사고가 나서 부모님이 영영 집으로 돌아오지 못하면 어쩌나
하는 끔찍한 상상까지 하며 잠을 이루지 못했다. 그렇게 늦은 밤까지
잠을 참았다.

어쩌다 잠을 오랫동안 참은 날이면 부모님이 들어오는 소리를 들을
수 있었다. 그 소리는 나의 작은 심장이 두근거릴 정도로 너무나 반가
웠다. 안심되었다. 하지만 그 시간까지 기다렸다고 나가서 말하지 못
했다. 나는 어린이였고 어린이는 일찍 자야 한다. 오히려 이불을 머리
끝까지 덮고 이내 자는 척을 했다.

부모님은 그 시간이 되면 꽤 출출하셨던 모양이다. 집에서 멀지 않
은 곳에 포장마차가 깔렸다. 종종 그곳으로 기계우동을 먹으러 가셨
다. 때론 잠든 언니와 잠든 척하는 내가 있는 방문을 열고 조심스럽게
자냐고 물었다. 나는 양손으로 눈을 비비적 비비적 거리며 잠이 덜 깬
연기를 했다.

"…깼어요."

깨어 있었지만 지금 막 우연히 깬 척. 그 모습이 연기였다는 것을 부모님은 몰랐다. 그리고 아마도 아직까지.

각기 다른 이유로 늦은 밤 포장마차에 가득했던 어른들. 그 사람들의 말소리로 채워진 포장마차. 낮에는 볼 수 없던 아빠와 엄마와 함께 포장마차에서 기계우동을 먹는 어린이.

우동을 먹고 돌아오면 깊은 잠에 빠진 언니를 깨우지 않으려고 조심히 이불 속으로 들어갔다. 그리곤 곧장 잠이 들었다.

포만감 때문이었을까.

포만감 飽滿感 표준국어대사전
[명사] 넘치도록 가득 차 있는 느낌.

파노
라마 1부

물듦

사람이 죽으면 자신이 살아왔던 삶이 '파노라마'처럼 눈 앞에 펼쳐진 다고 하는데 아마 이 여행은 반드시 나올 거라 확신한다.

나와 언니가 초등학생 때 아빠는 사업을 시작했고 회사에 경리담당 직원이 있었다. 언니는 그 경리 직원이 보던 만화책을 보곤 했다. 초등학교 저학년 때라 잘 기억이 잘 나진 않지만, 이집트 배경의 만화 책이었고 어린이용이 아니라 그런지 그림체가 상당히 섬세했다. 정확한 건 언니가 그 만화책을 정말 재미있게 봤고 줄곧 이 말을 했다 는 것이다.
'언젠가 이집트에 가보고 싶어.'

십여 년이 흘러 언니와 단둘이 해외여행을 갈 기회가 생겼을 때 나는 가장 먼저 '이집트'를 떠올렸다. 언니가 어린 시절부터 꿈꿔온 여행. 그 꿈을 이뤄주고 싶었다.

그 당시 나는 모험적인 여행을 마다하지 않았다. 아프리카 대륙을 밟 아본 적이 없기에 나도 이집트에 가보고 싶었고 설레기도 했다. 한편 으로는 막막했다. 스마트폰이 없던 시절이었기 때문에 더욱이 눈앞 이 캄캄했던 것 같다. 사전조사를 위해 네이버를 검색해 봐도 정보를 거의 찾을 수 없었다. 이집트 여행을 해봤던 친구에게 조언을 먼저 구 하고, 그 친구가 들고 다녔던 여행정보책에서 겨우 스무 장 남짓한 이 집트 정보 부분을 받아 챙겼다. 전체 여행 경로와 일정을 개략적으로 머릿속에 그린 뒤 항공권과 첫날 숙소만 예약한 채 그곳으로 떠났다.

이집트 카이로에 도착했다. 도착과 동시에 쉴 틈 없이 국립박물관으로 쏜살같이 달려갔다. 언니에게 보여주고 싶은 게 있었다. 실제로 보고 싶다고 말하던 투탕카멘의 황금마스크였다.

이집트 국립박물관은 건물 규모에 비해 너무나 많은 유물이 촘촘히 전시되어 있었다. 그 와중에도 단연코 투탕카멘의 황금마스크는 빛이 났다. 언니는 황금마스크를 보자 감탄했다. 언니가 행복해하니 나는 그저 흐뭇했다. 지금 돌이켜봐도 3300여 년 전 유물인 황금마스크가 준 강렬한 인상보다 오히려 언니가 꿈에 그리던 그것을 봤다는 사실이 내게 더 진하게 남아있다.

다음 날은 카이로의 명소 타흐리르 광장으로 갔다. 타흐리르 광장은 약 8차선 정도 되는 원형 도로로 둘러싸여 있다. 그런데 횡단보도가 없다. 주변을 살펴보니 주민들은 쌩쌩 달려오는 차를 보면서도 한 차선씩 차례차례 무단횡단을 하고 있었다. 사람들이 그렇게 횡단을 하자 이에 질세라 차들은 경적을 크게 울리며 더욱 빠르게 달려왔다.

이 도로를 건너다 차에 치일 수도 있겠다는 생각이 들었지만 내가 언니를 이집트에 데려온 이상 최대한 많은 것을 보여 주고 싶었다. 나만 믿고 따라온 언니 앞에서 첫날부터 벌벌 떨 수는 없었다. 일단 건너보기로 했다. 언니를 책임져야 한다는 생각에 그녀의 손을 꼬-옥 잡았다.

"따라와!"
'쌔-애-앵— 빵빠바방! 빵!! 부으으릉~ 빵빠바바방! 빵빵~ 앵—'

원형의 도로라 그런지 차들은 쉬지 않고 줄지어 달려왔다. 무단 횡단하는 주민들을 따라 건너보려 했지만 그들만의 기술이 있는 건지 도로를 건너는 속도가 빨라 도통 따라잡을 수 없었다. 언니와 나는 단둘이 8차선 도로를 건너기 시작했다. 막상 도로 위에 서니 차들의 속도가 무섭도록 체감되었다.

"뛰어!!"

겁이 나 가슴이 쿵쾅거렸다. 이미 도로 중간에 서 있는 우리. 뒤돌아갈 수도 없을 노릇이었다. 눈은 뜨고 뛰었을까? 아슬아슬하게 한 차선씩 뛰고 또 뛰었다. 우여곡절 끝에 광장에 도착했다. 도로 위에 있었을 때는 다리가 후들거리고 눈물이 날 것같이 무서웠는데 건너고 나니 그저 웃음만 났다.

카이로 여행에서 가장 기억에 남는 세 가지가 있었는데 투탕카멘, 타흐리르 광장과 더불어 마지막 세 번째는 스핑크스와 피라미드였다.

인터넷이나 책에서 사진으로 봤을 때는 사막 깊숙이 있어 마치 낙타를 타고 가야만 할 것 같았지만, 꽤 현대적인 방식인 지하철을 타고 기자(Giza)지구로 가면 되었나. 당시 유직지 입구에 피자헛이 있다는 사실에 놀람을 금치 못했다. 피자를 먹으면서 스핑크스와 피라미드를 볼 수 있다니. 우리는 스핑크스 앞에서 재치 있게 사진을 찍고 피라미드 가까이 걸어갔다. 피라미드를 올린 한 개의 돌이 평균 2.5톤이고 230만 개라고 하는데, 돌 1개의 높이가 내 키보다 컸다. 입이 다물어지지 않을 정도로 거대한 피라미드 앞에서 한없이 감탄했다.

입장료를 주고 들어왔는데 피라미드에 들어가려면 각각의 피라미드마다 입장료를 또 내야 한다. 우리는 여행비를 아끼려고 제일 낮은 금액을 내고 가장 작은 피라미드 안으로 기어들어 갔다. 건조했던 이집트의 공기와는 달리 피라미드 안은 상당히 습했다. 눈을 감고 그때로 돌아가려고 애쓰면 당시의 습함을 아직도 느낄 수 있다. 그곳에는

4000~5000년 전에 그려진 벽화들이 보였다. 마치 언니가 초등학생 때 읽던 만화책 속으로 우리가 들어간 것만 같았다.

관광지 주변에는 피라미드 안에 새겨진 상형문자를 알파벳으로 정리해서 이름을 새겨주는 여러 기념품을 팔았다. 언니와 나는 우리의 이름을 상형문자로 새기는 은목걸이를 기념으로 만들었다. 나는 20여 년 간 그 목걸이를 한 번도 착용하지 않고 소중히 보관하고 있다.

우리의 여행은 언니의 꿈을 하나씩 차근차근 실현시켜 주고 있었다.

〈계속〉

파노
라마 2부

물듦

'나 여기서 죽어도 괜찮을 것 같아.'란 생각이 들 정도로 아름다운 장면이 있었다.

어린 시절 할머니 댁에 갔을 때마다 언니와 나는 밤하늘을 뚫어지게 쳐다봤다. 도시와는 달리 많은 별들이 보였다. '와아-! 우아!'라는 감탄사를 연발하며 고개를 젖히고 별들을 한참 바라봤다.

언니는 늘 밤하늘을 보며 나에게 별자리 이야기를 해줬다. 작은 손가락으로 북두칠성과 오리온자리를 가리키며 위치를 알려줬지만 내 눈에는 도통 보이지 않았다. ─ 나는 지금까지도 별자리 찾지 못한다. ─ 사실 안 보이는데 보이는 척한 적이 훨씬 많았다.

"저기 보여? 보여? 국자 모양?"
"...으응."

언니는 서점에 가서 별자리 책을 사기도 했다. 그 책의 표지는 밤하늘 같은 짙은 푸른빛이 살짝 도는 검은색에 가까웠던 것 같다. 책에는 풀 컬러로 여러 별자리들이 인쇄되어 있었고 CD도 첨부되어 있어서 컴퓨터 모니터로 별자리를 볼 수 있었다. 언니가 그 책을 좋아했고 그 것을 오래도록 보관했다는 것을 기억한다.

언니를 이집트로 데려온 이유는 또 하나가 더 있다. 이집트 사막에 가면 별을 실컷 볼 수 있다는 말을 들었다. 그래서 언니와 사막투어를 가려는 계획을 세웠다. 카이로에 있는 현지 여행사 여러 곳에 발품을 팔며 가격협상을 해봤다. 하지만 우리에게 사막투어 가격이 너무 비쌌다.

"언니, 저기만 가보고 비싸면 포기하자. 진짜 여기가 마지막이야."

이 말을 내뱉고 한 여행사로 들어갔다. 본격적인 여행을 시작하지도 않았는데 낯선 환경에서 상당한 긴장감을 가지다 보니 나는 금세 지쳐버렸던 모양이다. 그렇게 선언하고 들어간 마지막 업체에서 열심히 협상을 해봤다. 하늘이 우리에게 포기하지 말라고 신호를 보낸 건지 마침내 원하는 가격에 계약했다.

우리는 사막을 향해 떠났다.

사막으로 가는 길은 끝없는 수평선을 달리는 기분이었다. 수평선의 끝이 어딘지 모르겠지만 달리면 달릴수록 언니와 함께 사막으로 향하고 있다는 행복감이 더없이 차올랐다.

도착한 바하리야 사막에는 석회암으로 이루어진 흰 바위가 군데군데 서 있었다. 밑동이 모래바람에 의해 깎여 마치 버섯모양 같았다. 언니와 나는 마치 화성에 도착하면 이런 기분일 것 같다며 이색적인 풍경에 흥분했다.

겨울이었기에 날씨가 춥지도 덥지도 않고 딱 적당했다. 하지만 해가 뉘엿뉘엿 넘어가기 시작하자 바람이 차가워졌다. 현지인 운전사 아저씨는 모닥불을 피워줬다. 우리는 다른 관광객 다섯과 함께 모닥불 주위에 동그랗게 앉아서 불을 쬐었다. 사막에 우리밖에 없는 것 같았지만 저 멀리 모닥불 몇 개가 보였다. 모닥불이 꺼질 무렵에 알루미늄 호일로 감싼 닭고기를 숯에 넣어 익혔다. 우리는 웃고 대화하며 입으로 닭고기를 뜯어 먹고 배를 채웠다. 그리고 밤을 기다렸다.

사막에서 밤을 기다리고 있던 건 우리만은 아니었다. 어둑어둑해지자 입으로 엉성하게 뜯어먹고 남긴 닭고기를 호시탐탐 노리고 있던 생명체가 우리 곁에 나타났다.

사막여우였다. 순간 '어린왕자'란 책 속으로 들어간 듯했다. 책에서 사막여우가 어린왕자에게 한 말이 떠올랐다.
'가장 중요한 건 눈에 보이지 않아.'

사막에는 완연한 밤이 왔다. 아무것도 보이지 않았다.

캄캄했다. 모닥불의 불씨마저 꺼졌다. 태어나서 그토록 어두운 세상을 경험하는 것은 처음이었다. 우리는 오직 한 가지를 볼 수 있었다. 별.

"와....."

별이 와르르르 쏟아지며 스스로 빛을 내고 있었다. 수백 수천 개의 별 아래 잠시 정적이 흘렀다. 우리는 넋을 잃었다. 믿기 어려운 — 지금도 때론 꿈이었나 싶을 정도로 — 눈부시게 아름다운 별빛 파노라마가 펼쳐졌다. 기적적인 장면이었다.

어린 시절 할머니 댁에서 보았던 밤하늘의 별을 누군가 몰래 차곡차곡 모은 후, 우리가 성인이 될 때까지 기다렸다가 오늘 이곳 하늘에 뿌린 것 같았다.

그때처럼 고개를 꺾이도록 젖히지 않아도 되었다. 그냥 앞만 바라봐도 눈앞에 은하수가 펼쳐졌다. 우리가 서 있는 세상은 가로등도 건물도 아무것도 없었다. 그저 지평선뿐이었고 땅끝부터 별은 촘촘히 박혀있었다. 지평선을 계속 바라보고 있노라면 별이 천천히 움직였다. 지구의 자전을 느끼는 순간이었다.

"언니, 세상에 우리밖에 없는 것 같아."
"우리 지금 우주에 있는 것 같지 않아?"

　언니가 어린 시절처럼 손가락으로 밤하늘을 가리키며 나에게 별자리를 알려주었다. 나는 여전히 별자리를 못 찾았지만 늘 그래왔듯 고개를 끄덕였다.

　사막의 겨울은 매우 추웠다. 우리는 온몸을 오들오들 떨고 있었다. 사막의 밤기운 때문일까, 무엇에 압도되었기 때문일까.

　현지인 운전사 아저씨는 멍석같이 두꺼운 담요 몇 점을 사막 바닥에 무심히 던지더니 누워서 자라고 했다. 우리가 눕자 이번엔 우리 몸 위에 담요 수십 장을 던졌다. 우리는 담요 속에 파묻혔다. 담요에 온몸을 꼭꼭 숨겼지만 눈은 빼꼼히 내놓고 밤하늘을 바라봤다. 담요가 무거워 언니 쪽으로 고개를 돌릴 수도 없었다.

"언니, 자?"

"아니."

"잠들기 싫다."

"나도. 어! 나 지금 별똥별 본 것 같아!"

"진짜?"

"계속 한 곳만 바라봐봐. 그러면 별똥별이 보여."

"나도 해봐야지."

"어! 나도 본 것 같아!"

"보이지?"

"응!"

"언니, 자?"

"아니."

그날 밤하늘은 마치 까만 하늘보다 빛나는 별이 더 많은 것 같았다.

'여기서 죽어도 괜찮을 것 같은 정도로 아름다워...'

이 말을 밖으로 뱉었는지 아니면 속으로 삼켰는지, 둘 중 어느 것인지 기억나지 않는다.

"언니, 자?"

"…"

파노라마 고려대한국어대사전

[명사] 많은 사람과 사연들의 우여곡절이 담긴 연속적인 광경을 비유적으로 이르는 말.

[명사] 시야에 다 들어오지 않을 만큼 좌우로 탁 트인 드넓은 광경.

코-자다 1부

물듬

'뽀삐'.

우리 가족에게 첫 강아지가 왔다. 내가 유치원을 다니던 때 이사 들어갈 집의 집주인 분께서 기르던 강아지가 새끼를 낳았다면서 우리에게 선물로 주셨다. 이름은 뽀삐. 흰색에 갈색 무늬가 있는 강아지였다.

3층 정도 되는 다세대 주택의 꼭대기 층이었던 그곳에는 보일러실이 문밖에 따로 있었다. 그곳에 뽀삐를 두고 키웠다. 나는 너무 어려 기억에는 없지만 앨범사진을 보니, 눈이 오는 날이면 눈이 쌓인 옥상에서 뽀삐와 놀았던 모양이다. 그리고 1년 뒤 아빠의 사업으로 김포의 한 두메로 우리는 이사를 했다.

넓은 공장 앞마당에서 뽀삐는 목줄 없이 자유롭게 놀고 자랐다. 그러던 어느 날 뽀삐가 집에 돌아오지 않았다. 아빠와 엄마는 녀석을 찾으러 다녔는데, 알고 보니 공장 직원들과 부모님의 점심식사를 맡아주고 있던 이웃집 가정의 암컷과 함께 있었다. 뽀삐를 겨우 안아서 데려왔는데 그 녀석의 몸에는 울긋불긋 피가 묻어있었다. 다른 개들로부터 암컷을 지키기 위해 다투었다고 한다. 물로 몸을 열심히 씻겨주자마자 우리의 마음도 몰라주고 금세 또 암컷에게로 가버렸다.

우리는 곧 암컷이 새끼를 뱄다는 걸 알았다. 그리고 얼마 뒤 열 마리 가량의 많은 새끼들이 태어났다! 이웃집 아주머니는 언니와 내게 한 마리씩 데려가도 좋다고 했다. 두 초등학생의 마음이 콩닥콩닥 설렜다. 우리 눈앞에는 눈도 뜨지 않은 새끼들이 꼬물꼬물 거리고 있었다. 여러 마리가 있었는데 언니는 갈색 강아지를, 나는 흰색 강아지를 선택해 데려왔다.

　그런데 하루가 지나도 갈색 강아지가 눈을 뜨지 않자 언니는 불안해졌다. 결국 아주머니께 강아지를 바꿔 달라고 요청했고 결국 흰색에 검은색 무늬가 있는 새끼로 바꿔 데려왔다. 나는 '복실이', 언니는 '바둑이'라 이름을 지어줬다. 나는 복실이를 보물처럼 온종일 내내 품에 안고 다니며 예뻐해 주었다.

　"복실아~ 코~자라. 코~오~자."

　밤이 되면 침대 위에 한 뼘만 한 강아지를 얼굴 앞에 두고 누워 '코~ 자라.'란 주문을 외며 강아지가 닳고 닳도록 쓰다듬어주었다. 부드러운 촉감의 복실이 털을 만지다 보면 나도 모르게 곁에서 잠이 들었다.

　뽀삐는 다시 집으로 돌아왔고 우리는 복실이 ,바둑이, 뽀삐와 함께 늘 공장 앞마당에서 신나게 놀곤 했다. 하지만 그 시간은 길지 않았다. 1년간 김포에서 초등학교 2학년을 보내고 3학년에 올라가기 직전 다시 도시로 이사를 했다. 아파트라서 우리는 복실이와 바둑이를 강화

할머니 댁으로 보내고 뽀삐만 데리고 왔다. 그리고 1년 뒤 또다시 이사하면서 뽀삐마저 할머니 댁으로 보냈다.

강화로 간 복실이와 바둑이는 새끼를 뱄고 우리 가족은 복실이 새끼 중 가장 작고 약한 까만 강아지를 아파트로 데려와 몇 달을 키웠다. 이름은 '까미'. 튼튼해진 까미를 다시 할머니 댁으로 보냈고 까미도 새끼를 뱄다. 그리고 까미의 새끼 중 제일 약해보이는 강아지를 또 아파트로 데려와 키웠다. 까미처럼 집에서 따로 잘 돌봐주면 튼튼하게 자랄 수 있을 거라고 믿었다.

당시 지어줬던 이름은 기억이 나지 않는데, 아빠 생신이었던 날 그 강아지가 갑작스레 죽었다. 무슨 일인지 그 강아지는 잠을 자다가 그렇게 된 것 같았다. 잠든 모습으로 몸이 단단하게 경직된 작디작은 강아지를 만져봤다. 나는 울기 시작했다. 마침 집에 오신 할머니는 아빠 생신에는 우는 게 아니라며 나에게 울지 말라고 말씀하셨다. 엄마가 차려놓은 미역국을 꾸역꾸역 먹으면서 고개를 푹 숙이고 눈물을 흘렸다.

뽀삐, 복실이와 바둑이, 까미 그리고 마지막 강아지. 4대를 키운 셈이다. 그 강아지가 죽은 후로는 더 이상 할머니 댁에서 새끼 강아지를 데려오는 일은 없었다.

〈계속〉

코-자다 2부

물듦

'아지'.

우리 집에 마지막으로 온 강아지는 당시 평범한 애견센터에서 데려왔다. 중학생인 나는 겨울방학에 엄마와 함께 애견센터에 갔다. 내 주머니에는 엄마가 넣어준 꼬깃꼬깃 구겨진 현금이 있었다. 대략 10~20만 원 사이였던 것 같다. 우리 가족에게는 처음으로 돈을 주고 산 강아지이다. 90대에는 요크셔테리어, 시츄, 말티즈가 반려견으로 인기가 많았다. 아지도 그중 하나인 흰색 말티즈 종이었다.

'반려견'이라는 말이 없던 당시라 지금 돌이켜보면 아지에게 부족함이 많았던 가족이었지만, 분명한 건 우리 가족 모두는 아지를 정말 많이 사랑했다.

아지는 중학생인 내가 바닥에 엎드려 학교숙제를 하면 종종 그 책 위에 누워 잠들곤 했다. 접이식 상을 펴놓고 공부할 땐, 살짝 열린 내 방문의 틈을 그 작고 까만 코로 비집고 들어왔다. 살금살금 기어 와서 양반다리 하고 앉은 내 무릎에 누워서 잠들곤 했다. 오른손으로는 펜을 들고 왼손으로는 보송한 아지의 털을 쓰다듬으며 공부했다. 다리가 점점 저렸지만 그쯤이야. 그저 아지의 모습이 무척 사랑스럽기만 했다.

고등학생 때는 매일같이 학교에서 야간자율학습을 하거나 독서실에서 늦게까지 공부했다. 늦은 시각이라 부모님이 학교나 독서실 앞으로 데리러 왔는데 때때로 아지도 같이 차를 타고 왔다. 아지가 보이면 후다닥 달려가서 녀석을 안았다. 그 시절, 부모님 사이가 좋지 못했는데 두 분이 다투고 나면 집에는 나와 아지는 단둘이 남았다. 나는 아지를 품에 안고 위로해달라며 펑펑 울곤 했다.

그 후 대학생이 된 나와 직장인이 된 언니는 늦게 귀가하는 일이 빈번해졌다. 그때마다 엄마는 지하철역이나 버스 정거장으로 아지를 안고 마중을 나왔다. 버스나 지하철에서 내리는 많은 사람들 중 나와 언니를 찾으려고, 아지는 목을 이내 쭈-욱 빼고 그 작고 검은 코를 벌렁벌렁 거리며 냄새를 맡았다.

주말에 늦잠 자는 나를 깨우기 위한 수단으로 엄마는 아지를 이용(?)했다. '아지야, 자~ 언니 깨워라~'라는 말과 함께 아지를 내 방에 '투입'했고, 그 녀석은 내 얼굴을 온통 침 범벅으로 만들어 결국 나를 일어나게 만들었다.

내가 해외로 떠날 때도 아지는 부모님과 함께 공항에서 나를 배웅하고, 1년 만에 돌아왔을 때도 아지는 변함없이 공항으로 마중을 나왔다. 아지는 나의 중학교 졸업, 고등학교 졸업, 대학교 졸업, 대학원 졸업까지 늘 함께했다. 그리고 나는 직장인이 되었다. 당시 18세인 고등학교 2학년 학생들을 가르치고 있었는데 아지가 학교를 다녔다면 고등학교 1학년이었다. 수업 시간에 우리 집 강아지가 17살이라고 말했더니 한 학생이 물었다.

"우아, 샘 17년을 키운 개면. 그럼 개 말 잘 들어요?"

그러자 다른 학생이 이렇게 말했다.

"야, 너야말로 부모님이 18년을 키워줬는데 넌 말 잘 듣냐?"

교실은 한바탕 웃음바다가 되었다.

아지는 내가 집에 가면, 자다가도 반겨주고, 먹다가도 반겨주고, 놀다가도 반겨줬다.

이름: 아지 좋아하는 간식: 건빵

하지만 어느 날부터 아지는 더 이상 반겨주러 나오지 않았다. 문소리를 듣지 못했다. 그리고 사료를 씹지 못했다. 아지가 제일 좋아하는 간식은 건빵이었다. 건빵 봉지 소리만 들려도 귀신같이 달려와 눈을 반짝반짝했던 녀석인데 이제는 건빵을 입에 넣어줘도 씹을 수도 먹을 수도 없었다. 식탁 의자 다리에 머리도 자주 박았다. 실수로 넘어지기라도 하면 스스로는 일어나지 못했다.

병원에 데려갔더니 의사는 노화로 인한 자연스러운 단계라고 했고 노견이라 아무것도 할 수 있는 게 없다고 말했다. 아지의 그 작고 까만 코만 정상적으로 작동하는 듯했다. 그 녀석은 코로 냄새를 맡으며 우리를 분별하고 꼬리를 흔들었다.

2014년 10월 25일. 엄마에게 카톡이 왔다.
"아지가.."
"아지가? 엄마, 아지가 왜요?"
"아지가.."

나는 곧장 엄마에게 전화를 걸었다.
"엄마, 아지가 왜요?"
엄마의 목소리는 이미 눈물에 축축이 젖어있었다.

1시간 반쯤 거리에 있던 나는 지하철에서 내내 울면서 집으로 갔다. 집에 도착하니 아지가 담요에서 곤히 잠을 자고 있었다.
영원히 깨어나지 않는 잠.

"아지야.. 코~ 자니.. 코~자?"

아지를 쓰다듬었다. 마치 내일 아침이 되면 깨어날 것처럼 평온한 표
정을 짓고 있었다. 우리 가족은 아지와 하룻밤을 같이 잤다.

아침이 밝았지만 아지는 잠에서 깨어나지 않았다.
우리 가족은 아지를 차에 태우고 강화로 데려갔다. 엄마는 아지 몸
에 108염주를 감아주었다. 아빠는 할머니 댁 뒷산에 가장 곧게 뻗은
나무를 골랐다. 우리는 땅을 파고 아지를 묻어주었다. 그 위에 낙엽을
덮고 알록달록한 꽃을 양옆에 두었다. 아지가 평생 쓴 하늘색 밥그릇
을 놓고 그 안에 사료와 물을 주었다. 우리는 그곳에 앉아 한참을 울었
다. 2014년 10월 25일이라고 적힌 푯말을 만들어 나무에 걸어주었다.

몇 년간 가족과 아지에 대한 어떤 언급도 하지 않았고, 그 녀석에 대
해 생각조차 하지 않았다. 떠나간 존재를 생각한다는 것은 '그리움'이
다. 내 마음이 아직 그 녀석을 그리워할 준비가 되지 않았었다.

내 몸은 전부 내 것이라 나의 통제하에 마음대로 할 수 있을 것 같지만, 인간이란 얼마나 나약한 존재인지 작은 신체 기관인 눈에서 나오는 눈물조차 조절할 수 없다.

3년쯤 후에 학교에서 수업하는 중이었다. 교과서에 늙은 강아지가 앞을 잘 보지 못해 주인을 잃었다 다시 찾게 된 이야기가 본문에 나왔다. 학생들 앞에 있는 내 얼굴은 어느새 온통 눈물 범벅이 되었다. "여러분 죄송해요. 제가 키우던 강아지가 있는데..."

그 후 누군가가 먼저 물으면 '우리 집에 아지란 강아지가 있었는데'라는 말을 할 수 있게 된 것 같다. 10여 년 남짓 흐르니 '아지'란 말을 내뱉어도 눈물이 곧장 쏟아지지 않는다. 천천히 눈시울이 붉어질 뿐.

그렇게, 나는 아지를 되도록 천천히 그리워하고 싶다.

사람이 죽으면 생전에 키우던 개가 마중을 나온다는 말을 들은 적이 있다. 그 작고 까만 코를 가진 아지가 나를 향해 뛰어올 생각만 해도 나는 너무 행복하다.

코자다 우리말샘

[동사] '코하다'의 방언 (강원)

코하다 표준국어대사전

[동사] 어린아이의 말로 '자다'를 이르는 말.

나이키
운동화 1부

물듦

"야! 반장 운동화 좀 봐!"

초등학교 6학년 극기훈련 때 일이다. 내 짝이었던 남자아이가 내 운동화를 손가락으로 가리키며 외쳤다. 남자아이들은 일제히 까르르 웃기 시작했다. 여자와 남자아이들은 각 한 줄로 서 있었고 반장인 나는 그 두 줄 사이 제일 앞에 나가서 체조하고 있었다. 엄마가 시장에서 사준 만화 캔디 짝퉁이 그려진 싸구려 운동화 때문이었다. 순간 얼굴이 화끈거렸다.

극기훈련이나 수학여행을 가면 친구들이 용돈을 얼마 받아왔는지 자랑했는데 내 용돈은 그들에 비하면 턱없이 작았다. 그조차도 쓰지 않으려고 아이들이 매점을 가면 나는 방에 있었다. 혹 따라가면 눈으로 구경만 했다. 쓰지 않은 용돈을 집으로 도로 가져와 책 사이에 꼭꼭 숨겨두었다. 그 당시 여자아이들 사이에 내 별명은 '짠순이'였다.

엄마를 따라 번화가로 장을 보러 가면 엄마가 맥도날드 앞에서 '배고파? 햄버거 먹을래?'라고 물었다. 나는 침을 꿀~꺽 삼키며 '아니요'라고 대답했다. 혹여 사 먹게 되더라도 감자튀김과 콜라는 먹지 않았다.

야채라곤 피클 2~3점이 전부인 990원짜리 제일 작은 버거를 먹겠다고 했다. 그게 제일 맛있다며.

당시 우리 집은 전혀 가난하지 않았다.

요즘은 자녀를 키울 때 부족함 없이 키우는 것이 우선이다. 양육방식도 시대 흐름을 반영하는 현상이기에 모두가 일률적으로 어떻다고 단정 지을 수 없지만 대세라는 것은 존재한다. 풍족한 자원을 제공하고 다양한 경험을 하게 함으로써 긍정적인 자존감을 가진 아이로 양육할 수 있다고 보는 추세이다.

나의 어린 시절의 양육 방식은 지금과는 좀 달랐다. 부족함 있게 키워야 경제교육에 도움이 된다고 보았던 것 같다. 종종 내 나이대의 또래와 자라온 이야기를 나누면 참 비슷한 점이 많다. IMF를 10대에 겪은 탓일지도 모르겠지만, 항상 부족했던 용돈, 어려움을 대비한 절약과 저축의 강조가 그것들이다. 당시에는 용돈을 받으면 '잘 써서' 칭찬받기보다 아예 '안 쓰면' 칭찬받았다. 어린 나이에 집안의 경제적 어려움을 그대로 받아들여야 하기도 했다.

워낙 어려운 시절을 겪은 50~60년대생이 양육하던 방식으로써는 어쩌면 너무도 당연하다. 옛날엔 다들 얼마나 힘들게 살았는지 — 예를 들어, 옛날에는 쌀밥을 못 먹었다거나 소풍 때 부잣집 아이들만 삶은 계란을 싸 왔다는 감정 이입하기 힘든 이야기 — 수 없이 들으면서 컸다. 또 나를 키우는 동안 부모가 얼마나 고생했는지도 들었다.

엄마는 임신한 채로 유리병으로 된 우유배달을 해야 했다. 부모님은 포장마차부터 제조업 공장을 운영하기까지 그 시절 가난했던 보통의 사람들처럼 주말도 없이 꼭두새벽부터 밤늦게까지 애쓰며 살아왔다.

우리 가족의 '물리적 가난'은 내가 초등학교 4학년 즈음 끝났던 것 같다. 그때 처음으로 제대로 된 '우리 집'이 생겼다. 가족 네 명 모두가 각자의 방을 가질 정도로 집이 넓었다. 나도 내 방이 생겼다. 집에 화려한 가구도 한꺼번에 들어왔다. — 몇 년 뒤 IMF가 와서 다시 힘들어졌다. 이 당시에 산 그 가구들 전부를 30년이 흐른 현재도 쓰고 계신다.

값비싼 가구가 있는 넓은 집에서 살게 되었지만, 오히려 6학년 무렵 내게 사춘기가 오면서 부모님이 해 온 고생들이 하나하나 떠오르기 시작했다. 6년 동안 4개의 초등학교로 이리저리 전학을 다니며 부모님이 돈을 벌기 위해 고군분투하는 과정을 보았기에 더욱이 가슴에 와닿은 것 같다.

이때부터 나의 '정신적 가난'이 시작되었다.

내가 정의하는 정신적 가난은 과거의 '가난했던 기억' 때문에 경제적인 풍요가 와도 가난에서 벗어나지 못하는 현상이다.

중학생 때는 한창 스포츠 브랜드가 유행했다. 모자, 양말, 가방, 운동화, 슬리퍼까지 어떤 브랜드냐에 따라 빈부를 판단하는 분위기였다.

부모님은 중학교에 입학하는 내게 처음이자 마지막으로 스포츠 브랜드 운동화를 사주셨다. 프로스펙스(Prospecs) 운동화였다. 나는 나이키(Nike) 운동화가 갖고 싶었지만 말하지 못했고 3년 동안 그 운동화를 신었다.

고등학생이 되어도 나이키 운동화를 신지 못했다. 언니도 마찬가지였다. 직접 물어본 적은 없지만, 나처럼 나이키 운동화가 갖고 싶었을까 궁금하다. 분명 나와 비슷한 학창 시절을 보냈을 것이다. 언니는 나보다 2년 먼저 성인이 되었다.

그리고 언니는 나이키 운동화를 샀다.

〈계속〉

나이키
운동화 2부

물듦

"언니, 왜 나이키 운동화 안 신어?"

어느 날부터인가 언니가 신지 않는 나이키 운동화가 눈에 띄어 물었다. 언니는 나이키 운동화 뒤꿈치 부분이 부러져 불편해 이미 새로 샀다고 말했다. 내 발사이즈는 225 언니는 235. 나는 사이즈에 맞지 않는 그 운동화를 신었다.

스물한 살 때부터 일을 시작한 언니와 다르게 나는 학업이 길어져 스물여덟까지 공부했다. 내가 공부하는 내내 언니는 월급을 받았고 그 월급을 모두 혼자서 썼다. 나도 스무 살부터 스물여덟까지 한 해도 쉬지 않고 학업과 아르바이트를 병행했지만, 알바비로 나이키 운동화를 살 심적 여유를 가지지 못했다.

언니는 락포트(Rockport)라는 구두를 신고 다녔다. 구두 안쪽에 폭신한 쿠션이 있어 오래 신어도 발이 덜 아프다고 광고하는 브랜드였고 10~20만 원 정도 하는 금액이었다. 나는 지하상가를 1시간씩 돌며 만 원짜리 구두를 찾으러 다녔다. 뒷굽이 닳으면 또 지하상가에서 제일 싼 구둣가게를 찾으러 헤맸다. 미련하게 수십 번을 그렇게 했다.

대학생 때 염색이 대유행이었는데 언니는 박준이라는 미용실을 다녔다. 그 시절에 가장 유명하기도 비싸기도 한 곳이었다. 주기적으로 20여만 원을 들여 컷트, 염색, 파마를 했다.

　나는 염색을 해 본 적은 없지만 파마를 하러 일 년에 한 번 정도 '기장추가 없음. 펌 20000원'이라고 광고하는 정가제 미용실을 찾아다녔다. 그러다 우연히 이대 앞에 미용실 거리가 저렴하다는 말을 듣고 그곳에 갔다. 미용실에서 가운을 두르고 앉았는데 미용사는 머릿결이 많이 상했으니 영양을 추가해야 한다며 예상보다 높은 금액을 불렀다. 나는 거울에 비친 내 모습을 우두커니 보다가 가운을 벗고 그 미용실을 그냥 나왔다. 그 뒤로 미용실을 10년 동안 가지 않았다.

　미샤나 더페이스샵이란 로드샵 화장품 브랜드가 유행이었을 때, 나는 1000원에 2개짜리 매니큐어를 사서 손톱에 발랐다. 언니는 일찍이 네일샵에서 손톱, 발톱 관리를 받았다. 또 해외여행을 갈 때마다 면세점에서 각종 브랜드의 화장품과 향수를 잔뜩 샀다. 언니 방 서랍에는 포장도 벗기지 않은 새 화장품들이 많았다. 나는 화장품을 제대로 사지도 못했고 각종 브랜드 이름도 알 턱이 없었다.

　대학원생 때 조교로 일했는데 근무 중에 다른 조교들이 화장품 브랜드 이야기를 하면 그 대화에 끼지 못했다. 그 당시 언니가 안 쓰는 가방이 생기면 나는 좋은 가방이 아까워 그걸 주섬주섬 가져다 썼다. 롱샴이라는 브랜드의 가방이었다.

어느 날은 루이비통 가방을 들고 다니던 한 조교가 '요즘도 롱샴 가방을 쓰는 사람이 있어?'라고 나를 저격했다. 다른 조교들이 덩달아 살짝 웃었다.[1] 초등학교 6학년 때 내 운동화를 보고 웃던 남자아이들이 떠올랐다.

나는 좋은 옷을 입지 못했고, 좋은 구두를 신지 못했고, 좋은 가방을 메지 않았고, 좋은 미용실에 가지 않았지만 내 삶은 충분했다. 마음껏 쓰고 사는 언니가 부럽기도 했지만, 그녀가 돈을 쓰면 쓸수록 나는 반대로 더 아끼게 됐다. 이 세상에는 돈에 있어 두 부류가 있다고 생각한다. 돈을 '쓰면서' 행복한 사람과 돈을 '아끼면서' 행복한 사람. 언니는 전자, 나는 후자였다.

우리 자매는 다른 형태의 '정신적 가난' 속에 살고 있었다. 한 명은 부족함을 채우려는 욕망으로 그것이 발현되었고, 나의 것은 더 부족해

---

1. 시간이 지나 이 이야기를 엄마에게 했더니 속상해하셨다. 결국 아빠는 루이비통 가방을 내게 사 주셨다. 몇 번 들고 다니다 수년째 수납장에 잘 보관 중이다. 왠지 화려한 가방보다 에코백이 편하다.

지지 않으려는 궁색함으로 나타났다. 그렇게 언니가 소비욕과 소유욕을 채우는 동안 나는 절약욕을 채우며 살아갔다.

그녀는 늘 풍족해 보였지만, 실은 공허했던 모양이다. 결국 빚을 지면서 물건을 사고 값비싼 음식을 먹고 여행을 다녔다. 그 빚은 눈덩이처럼 불어나 마흔이 가까워진 나이까지 괴롭혔다. 그에 반해 나는 꽤 절약적이고 알뜰한 삶을 살았다고 포장할 수도 있지만, '궁색'하게 살았다는 표현이 더 적절하다.

얼마나 궁색했냐를 나열하자면 열 페이지도 넘게 적을 수 있을 것 같다. 항상 1000~2000원짜리 귀걸이를 끼고 다녔고 결혼식 날도 그랬다. 이제껏 피자헛 피자와 도미노 피자를 주문해본 적 없고, 스타벅스 커피를 제값을 내며 테이크아웃해 보지 못했다. 3만 원이 넘는 옷과 구두를 살 때는 여전히 망설인다. 10여 년째 화장품을 직접 만들어 쓰며 미용실에도 가지 않았다. 머리는 집에서 가위로 자른다.[2] 오늘도 인터넷 최저가를 찾아 물건을 사고, 식사 후 계산할 때도 신용카드 할인을 꼼꼼히 체크한다.

경제적 풍요가 내 삶을 아무리 두드려도, 나는 어딘가에 갇혀 궁상맞은 짓을 계속한다.

인터넷에 떠도는 이런 글을 본 적 있다.

---

2. 2년에 한 번씩 머리를 잘라 기부하고 있다. 머리카락 기부처는 '어머나 운동본부'.

『작은 걸 아끼지 않는 삶 정말 좋다. 맛없는 음식이 남으면 버리고, 해외 놀러 가서 얼마 썼는지 매일 밤 계산하지 않고, 짐이 무겁거나 길을 잃었으면 바로 택시 타고, 약속 시간 30분 남으면 시원한 카페에 들어가고, 티백 한 번 우리고 바로 버리는 삶. 』

읽기만 했는데도 마음이 아찔하다. 이미 상상 속에서 티백을 2번 3번 우려냈다.

나는 한 번도 가난한 적이 없는데, 늘 가난했다. 마음의 가난. 정신적 가난에 갇혔다. 나를 가둔 건, 가족이다. 이미 정신적 가난에 젖은 부모님과 빚을 지면서도 소비에 중독된 언니가 나를 가뒀다. 그들을 원망하지는 않는다. 다만 처연히 여긴다.

서른여섯이 되었을 때 마침내 나의 첫 나이키 운동화가 생겼다. 남편이 내 이야기를 듣고 나이키 운동화와 락포트 구두도 선물로 사줬다.[3] 나이키 운동화가 생기니 마음이 복잡했다. 도대체 이게 무엇이길래 집도 자동차도 다 있는 내가 이 한 켤레를 갖지 못했을까 싶었다. 아마도 이때 내가 정신적 가난에 갇혔다는 걸 스스로 깨달은 것 같다. 그 순간부터 지금까지 부단히 그것에서 벗어나려 애쓰며 살고 있다.

락포트 구두는 남편의 주문실수로 내 발 사이즈보다 조금 컸다. 깔창을 넣고 신어야 했다. 얼마 뒤 언니가 중요한 날 신을 적당한 구두

---

3. 남편은 나이키 운동화를 최저가로 찾아 해외직구로 주문했다. 이 양반도 나 만만치 않다.

가 없다고 했다. 나는 신발장에 모셔둔 새것 같은 락포트 구두를 조심스레 꺼냈다. 언니 발에 신겼더니 사이즈가 잘 맞았다. 떨리는 마음으로 말했다.

"언니, 이 구두 언니가 가져."

정신적 가난 몰둠사전
과거의 가난했던 기억 때문에 경제적인 풍요가 와도 가난에서 벗어나지 못하는 현상.

호연

1987. 6. 16. 인천 출생.
맹자(孟子)의 호연지기(浩然之氣)를 추구함.

자연과 동식물을 사랑하는 식물 집사이자 고양이 집사.
소유욕이 강해서 무언가에 꽂히기 시작하면
무섭게 파고드는 게 장점이자 단점.
현재는 승마의 매력에 빠져버려
말 키우는 것이 인생 최대 목표인 사람.
계획적인 것 같으면서도 넘치는 흥을 주체할 수 없어
지금의 나를 내일의 내가 버거워 함.
좋고 싫음이 너무나 뚜렷해 사회생활이 힘겨울 때도 있지만,
사회적 자아와 개인적 자아를 철저히 분리시켜
내가 추구하는 삶에 충실하고자 노력함.

ej2192@naver.com

첫번째 이야기

엄마

수박

호연

띠리리링. 띠리리링.

집 전화기가 울렸다.

"저 은주 친구 연주인데요. 은주 있어요?"

중학교 1학년 때 같은 반 친구 연주의 전화였다.

거실에서 엄마와 언니가 사이좋게 수박을 잘라 먹고 있다가 언니가 전화를 받고서는 방에 있던 내게 집 전화기를 건네줬고, 둘은 다시 수박을 먹으며 거실에서 내 통화를 엿듣는 듯했다.

기분 나쁜 통화였다. 평상시에도 원래 잘 투닥거리던 친구였기에 그날 통화에서도 사소한 말다툼이 있었고, 난 내 방 책상 앞에 앉아서 신경질적으로 영어 숙제를 끄적였다.

그때 엄마가 소리쳤다.

"김은주. 나와서 수박 먹어!"

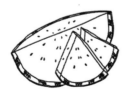

나는 짜증스럽게 대답했다.

"아, 안먹어!"

엄마는 지지않고... "빨리 나와서 먹어!"

나도 지지 않으며... "아, 안먹는다구!!!"

쿵.쾅.쿵.쾅.

화가 나면 한걸음 한걸음을 깊게 내딛으며 걷는 엄마 특유의 발소리
가 들려왔다. 그 발소리가 들린 후 나는 항상 혼이 났었기 때문에 엄마
의 발소리가 들리자 곧 내 가슴도 쿵.쾅.쿵.쾅. 뛰기 시작했다.

엄마가 내 방에 들이닥쳤다. 어디서 짜증이냐며, 수박은 왜 안 먹냐
며 혼을 냈다. 사춘기의 나는 영어 숙제를 해야 된다는 말도 안 되는
핑계를 댔다.

엄마도 참 이상하다. 내가 안 먹겠다고 하면 그냥 내버려둘 일이지...
꾸역꾸역 수박을 먹으라며 화를 내다가 결국 분에 못 이겨 내 영어 교
과서를 좌-악 찢어버렸다. 찢어진 교과서를 보고 나는 광분했고, 이
는 엄마의 심기를 더욱 건드렸다.

엄마가 파리채를 들고 또 쿵.쾅.쿵.쾅. 걸어왔다.

파리채를 똑바로도 아닌, 거꾸로 잡고(더 딱딱한 손잡이 쪽이 나를
향하도록) 나를 때리기 시작했다. 나는 잘못한 게 없다고 생각했기 때
문에 자존심을 부리며 날아드는 파리채에도 꿈쩍 않고 앉아 고스란히
그 매를 다 맞았고, 이를 악물고 울었다.

그래도 끝까지 수박은 안 먹고 자존심은 지켰다.

다음 날...

팔에 파리채 손잡이 모양의 줄무늬 멍이 푸르딩딩하게 물들었다.

친구가 멍을 가리키며 히죽거리듯 물었다.

"이거 뭐야?(키득키득)"

"아 몰라."

정말 창피했다. 가뜩이나 짜증나 죽겠는데 이게 뭐냐니, 넌 눈치도 없니?

그리고 대망의 영어 수업 시간이 다가왔다.

너덜거리는 교과서에는 테이프가 안쓰럽게 덕지덕지 붙어 있었다.

교과서 검사를 하던 선생님께서 교과서 상태가 이게 뭐냐고 혼을 내셨다.

부끄러운 마음에 모기 같은 소리를 내며 말했다.

"엄마가 찢었어요…"

선생님은 '크흠' 헛기침을 하시고는 옆 친구 자리로 바로 넘어가셨
다.

도대체 수박이 뭐길래.

잔소리

호연

엄마는 우리집 서열 1위이다.

집에서 엄마가 하라는 대로 하지 않으면 잔소리 100단 콤보는 우스울 정도로 듣게 된다. 그중 엄마가 제일 싫어하는 것은 욕실 쓰레빠가 축축한 것이다. 욕실이니까 당연히 물이 튀는 건데... 잔소리가 욕실 쓰레빠로만 그치면 내가 이렇게 글까지 쓰지는 않았을 것이다. 욕실 슬리퍼의 물기가 쏘아 올린 공은 저 멀리멀리까지 날아가 엄마의 심기를 거슬리게 하는 모든 것들을 공격하게 된다. 정말 무시무시하다. 욕실 슬리퍼로 시작해서 결국 집에서 나가라는 말까지 들었으니 말이다. 삼십여 년 동안 반복되는 잔소리를 듣다 보니 지금은 슬리퍼를 신지 않는게 현명하겠다는 결론을 내렸다.

그런데 정작 내가 연락 없이 늦게 귀가를 한다거나, 만취 상태로 귀가, 외박하는 일 등에는 엄마가 화를 낸 적이 없다. 도대체 엄마의 잔소리는 어떤 기준인걸까? 다른 집들은 딸이 늦게 들어오면 위험할까 봐, 잘못될까 봐 걱정돼서 잔소리를 한다던데 엄마는 왜 사소한 일에만 과민하게 반응하는지 아직도 이해할 수 없다.

엄마의 잔소리는 정말 무시무시하다. 말수도 원래 많은 편이신데 거기다가 같은 말을 무한으로 반복하는 능력까지 탁월하시다. 내가 너무 귀찮아 대답을 하지 않아도 엄마는 신나게 10분 이상은 거뜬하게 혼자 말씀하시며, 간혹 내가 맞장구라도 치게 되면 나는 이제 그 자리를 떠날 수 없게 된다.

언젠가는 집에 인터넷TV 리모컨이 고장나서 엄마가 서비스 센터에 문의 전화를 했다. 엄마는 상담원에게 자초지종을 설명했고, 또 설명하고, 또 설명하고, 또또 설명했다. 듣다 못한 상담원이 아주 간절한 말투로... '고객님? 저도 말씀 좀 드려도 될까요?'라고 했단다. 엄마도 그런 본인이 웃겼는지 퇴근하고 온 나에게 이 얘기를 다섯 번이나 했다.

그러고 보면 사십여 년을 엄마와 같이 산 아빠도 참 대단한 것 같다. 내가 엄마 얘기를 잘 들어주지 않는 날은 아빠가 그날의 대화 상대가 된다. 아빠가 식사를 하시는 동안 본격적인 엄마의 랩이 시작된다. 오늘 있었던 일, 유튜브로 봤던 일, 트롯 가수 김호중 얘기 등 시시콜콜한 모든 일들을 아빠에게 폭풍같이 쏟아 내고 마무리는 결국 잔소리로 끝낸다. 아빠는 묵묵히 듣기만 하신다. 존경스럽다. 그래서 오랜 세월 두 분이 같이 살 수 있었던 것 같다.

우리 엄마... 너무 귀여운데 무섭다.

철없는 엄마

호연

쿵. 쿵. 쿵. 쿵.

달그닥. 달그닥. 와르르.

이른 새벽부터 우리집은 시끄러운 소리로 하루가 시작된다.

우리 엄마는 성격이 몹시 급하고, 덜렁댄다. 급한 성격 탓인지 하루도 참 일찍 시작한다. 덜렁대는 성격 탓에 물건도 곧잘 떨어트리고, 발걸음도 빠르다.

어느 날은 아침부터 엄마가 발목에 붕대를 감고 끙끙대고 누워 계셨다. 새벽에 길고양이 밥을 챙겨 주러 나갔다가 목에 비닐봉지가 걸려 있는 고양이를 보셨고, 비닐을 빼주려고 담벼락 위에 올라갔다가 발을 헛디뎌 발목을 삐끗한 것 같다고 하셨다. 빨리 병원에 가보라고 했더니 좀 두고 보겠다며 고집을 피우시더니 결국 119를 불러 들것에 실려 가셨다. 의사 선생님은 엄마가 원래 골다공증도 있는데 높은 곳에서 떨어지는 충격에 복숭아뼈가 아예 으스러져 버렸다고 했다. 수술 후 퇴원을 했는데 깁스를 했으니 도통 걷질 못하시고 방바닥을 기어다니며 생활하셨다. 가뜩이나 갱년기에 기분이 오르락내리락하던 판국에 기어다니며 집안 살림까지 하시니 엄마의 짜증은 극대화되었고 역대급 핵폭풍을 몰고 왔다.

가족들이 집안 살림 좀 대신해주면 되지 않겠냐고 생각하겠지만 엄마는 성격상 다른 사람이 하는 꼴을 보질 못하신다. 내가 몇 번이나 설거지, 빨래 등을 하려고 했지만 옆에서 지켜보며 제대로 하지도 못한다고 화만 돋워 싸움만 났다. 나도 나름 자취 경력이 있는데 조금 느리고 서툴 수는 있겠지만 그렇게까지 화낼 필요가 있는지 모르겠다.

엄마와 매일매일이 갈등이었다. 기어다니느라 무릎에 멍이 많이 드셔서 무릎 보호대도 사드렸고, 앉아서 다닐 수 있는 바퀴 달린 의자도 사드리며 나름대로 노력도 많이 했다. 그런데도 엄마의 짜증은 언제 어디서 나올지 예측할 수 없어 매일이 살얼음판 같았고, 결국 나는 집을 나가려고 부동산을 통해 집까지 알아보고 다녔다. 집 계약을 앞두고 아빠한테 집을 나가겠다고 말씀드렸더니 아빠는 집을 나가더라도 엄마랑 화해는 하고 나가라고 강하게 만류하셨고 결국 여지껏 못 나가고 있다. 60세를 바라보는 나이에 엄마는 굳이 담벼락까지 올라갔어야 했을까...?

또 어느 날은 새벽부터 '쿵!!!'하는 소리가 들렸다. 엄마가 욕실에서 급하게 나오다가 문지방에 걸려 그대로 앞으로 고꾸라지듯 넘어지셨다. 나이가 들어 반사 신경이 많이 느려진 탓에 얼굴이 바닥에 그대로 부딪혔고, 크게 다치시지는 않았지만 결국 앞니가 부러져 버렸다. 평소에는 집안에서 그 누구의 눈치도 보지 않던 엄마가 이럴 때면 우리 한테 의지를 하신다. 결국 언니와 내가 모아 뒀던 가족 여행 적금으로 임플란트를 해 드렸다.

치료 중 앞니 없이 지내던 시간이 꽤 길었는데 아빠 생신이 다가와 외식을 하려고 했다. 엄마는 앞니가 없어 창피하다며 나가지 않겠다고 하셨고, 집에서 배달 음식을 시켜 먹었다. 앞니가 없어진 본인께서는 얼마나 속상하실까 싶어 이해도 됐고, 앞니가 없으면 이렇게까지 늙어 보이는구나 싶어서 마음이 짠했다.

그런데 어느 날 아빠가 식사 중이던 엄마의 모습을 보고 '할망구 다 됐네.'라며 놀렸다. 평소 같았으면 발끈하며 화냈을 엄마지만 그날만큼은 아무 말도 못했다. 왜냐하면 아빠가 예전에 임플란트를 했을 때 쭈구렁 할아버지 같다고 극혐하며 놀렸던 적이 있기 때문이다. 그 장면을 지켜보던 나는 통쾌한 마음에 '아빠한테 할아버지 같다고 놀려 대더니만 엄마가 당하니까 싫지?'라고 물었다. 엄마가 대답했다. '그땐 내가 안 겪어 봤으니 몰랐지!'
이게 우리 엄마다.

나중에 아빠가 나에게 엄마 임플란트 비용을 주겠다고 하셨다. 어차피 그 돈은 부모님 노후 자금 중 일부였고, 언니랑 모아 뒀던 돈을 사용한거라 괜찮다고 사양했다. 이 얘기를 듣고 엄마는 아빠가 돈 줄 때받지 왜 안받냐며 네가 안 받으면 언니한테 줘 버리라고 할거라며 나를 닦달했다.

아... 엄마...

엄마는 역지사지가 잘 안 되신다. 직접 경험해 보지 않으면 잘 알지 못하시고, 이해해 볼 생각조차 잘 안하신다. 일찍 결혼하신 뒤 오랜 시간동안 사회 생활을 안하시기도 했지만 내가 볼 땐 자기중심적 성향을 타고난거다. 유전적으로도 특출난데 외할머니께서도 6남매 중 막내딸인 엄마를 마냥 응석받이로 키워놓으셨으니 시너지 효과가 나타난 게 분명하다.

예전에 내가 여섯 시간 동안 응급 수술을 받고 한 달간 병원에 입원했을 때도 엄마는 참 간호에 서툴렀다. 역시나 본인이 안 겪어봤기 때문이었다. 물론 서툴 수는 있다.

15센티미터 가량 개복 수술한 나를 지지해주며 당겨 일으켜야 하는 상황에서 내가 아파하며 끙끙댄다고 놀라서 나를 침대에 그대로 놓아버렸고, 결국 갓 수술하고 나온 나를 엉엉 울려버리고 말았다.

또, 병원에는 패션쇼를 하러 오는지 온갖 화려한 복장으로 방문하는 까닭에, 결국 옆 침대에 있던 할머니께 엄마 복장에 대해 병실에서 말들이 많다는 얘기까지 듣게 하셨다.

에휴...

물론 엄마로서 자식들에게 많이 희생하셨고, 잘 챙겨주셨던 부분도 많다. 그렇지만 우리 엄마는 일반적으로 생각하는 철없는 엄마들과는 결이 많이 다르다는 것을 밝히고 싶었다. 누가 좀 알아줬으면 했다. 엄마 때문에 힘들다고 하면 사람들이 딸인 내 탓을 한다. 결국 이렇게 구체적인 사례까지 들어야만 사람들은 '아... 그랬구나...'하고 공감한다. 그래서 억울한 마음에 이렇게 자료로 남겨 두고 싶었다.

내 나이 서른 여섯.

지금까지 부모님과 함께 살면서 도움받은 부분이 많지만 이 정도 나이가 되면 독립을 하는게 맞는 것 같다. 자식이 아무리 늙어도 부모에게는 어린 아이만 같기에, 성인이 되어 더 이상 고분고분하지 않은 자녀가 얼마나 마음에 안 들겠는가. 그래서 잔소리는 오히려 더 늘어난다. 악순환이다. 서른이 되기 전에 독립했어야 했다. 지금 독립하려고 하니 눈에 밟히는 부분이 너무 많다. 어느 순간부터 부모님이 나에게 의존하기 시작했기 때문이다.

어느 날은 집에서 다 같이 자장면을 시켜 먹으려고 했다. 그런데 엄마가 나에게 주문 전화를 하라고 하셨다. 원래 엄마가 했던 일이었는데 이조차도 나에게 자연스레 넘어왔다.

세상은 빠르게 현대화되어 가는데 부모님은 아직도 과거에 머물러 계셔서, 날이 갈수록 더욱 세상에 적응하기 버거워하신다. 밖에서 무슨 일이 생기면 나에게 하소연하며 기대시는 게 어느 순간 당연해졌다. 휴대전화 바꾸는 것부터 시작해서 사소한 일까지 나에게 답을 요구하고 해결책을 바라는 듯한 모습을 보이신다. 자연스러운 현상인데 나는 아직 자식으로서 부담스럽고 견디기가 어렵다. 점점 어린 아이 같아지는 부모님을 보는 것이 참 속상하다. 예전에는 엄마가 그냥 철 없는 어른이었다면 지금은 철없는 아이 같아지고 있다. 물론 아빠도.

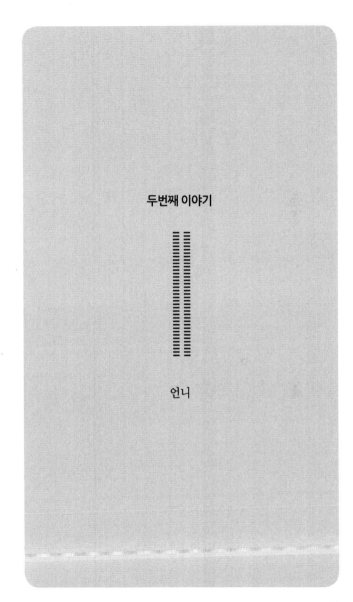

두번째 이야기

언니

언니바라기

호연

언니와 나는 네 살 터울이 난다.

다른 집에 비해서는 나이 차이가 꽤 나는 편이다 어릴 때부터 아빠는 회사에 다니느라 바빴고, 엄마는 워낙 활동적인 성격이라 친구를 만나러 자주 외출했기 때문에 언니와 나만 집에 남아있는 경우가 꽤 많았다.

엄마는 언니에게 동생 잘 챙기라고 항상 강조하셨고, 언니는 책임감 때문인지 뭔지 어쨌든 나를 잘 챙기긴 했다.

우리 동네 또래들 중 언니가 제일 나이가 많기도 했고, 언니가 친화력이 엄청난 편이라 동네에서 인기가 제일 많았다. 그래서 우리랑 같이 놀고 싶어하는 친구들도 많았다. 근데 난 나이도 어렸고 그 당시에는 또래에 비해 엄청 아기같은 구석이 많아서 뭐만하면 삐지고, 울고는 했었다. 그래도 언니라는 존재가 있어서 재미있는 놀이에 항상 낄 수 있었다. 예를 들어 잡기 놀이를 해도 나는 잡히면 울어버렸기 때문에 언니가 나는 대마왕 역할을 시켜줘서 놀이에는 참여하되 기분이 상하거나 다칠 일이 없게 해줬다. 그래서 나는 동네 대표 존재감있는 깍두기가 되었다.

대신 언니 말을 안들으면 맞았다. 그 어린애를 때릴 데가 어디있다고... 밥 안먹는다고 야구방망이로도 맞아봤고, 자기 기분 나쁘다고 뺨을 맞은 적도 있었다. 그때는 자기도 때리고 나서 아차 싶었는지 바로 미안하다고 하면서 엄마한테 말하지 말라고 했지만, 가만히 있을 내가 아니었다. 그동안의 서러움이 폭발해서 바로 엄마한테 일렀고, 언니는 그날 먼지나게 엄마한테 맞았다.

또 언니는 정리벽이 심해서 자기 방에 누가 들어오거나 자기 물건을 만지는 걸 극도로 싫어했는데 심지어 누가 어떻게 만졌는지까지 알아차릴 정도였다. 맨날 언니 물건을 만지다 걸려서 혼났으면서도 그때 언니 서랍장에서 일기장 훔쳐보는 재미가 꽤나 쏠쏠했다. 언젠가부터는 눈치를 채서 서랍장에 자물쇠를 걸어두기까지 했는데 자물쇠까지 실핀으로 풀며 훔쳐볼 정도로 정말 재밌었다. 내 나름의 소심한 복수랄까?

어릴 적부터 우리집은 친척들이나 아빠 지인들이 방문하는 일이 꽤 많았다. 아빠가 맏아들이었기 때문에 명절날은 더더욱 그랬다. 그런 날은 용돈도 많이 받았는데 엄마가 나중에 돌려준다는 명목으로 용돈을 가져가버려서 어느 순간부터 언니와 나는 몰래 용돈을 숨겨놓기 시작했다. 그 돈으로 나중에 같이 동네 백화점 식품 코너에 가서 맛있는 간식을 사먹기도 했고, 예전에 엄마랑 같이 갔던 놀이공원에 다시 가보려고도 했다. 놀이공원까지 가는 길은 멀기도 했고, 몇 번 안 가봤기 때문에 어느 버스정류장에서 내려야 하는지 몰라 도로 돌아오

기도 했지만... 아무튼 숨겨놓은 돈으로 꽤나 놀러다녔다. 어린애 둘이 짧은 다리로 빨빨거리며 많이도 돌아다녔는데 별 탈이 없었던 것 보면 운도 좋았다.

영원히 나랑 유치하게 놀아줄 것 같던 언니는 내가 초등학교 저학년이 될 무렵부터는 나랑 노는 게 재미없어진 것 같았다. 그런데 나는 언니랑 노는 게 세상 재미있었기 때문에 언젠가부터는 30분에 500원씩 주면서 인형놀이를 하고 있는 나를 발견했다. 그 당시 500원이면 꽤 큰 돈이었기 때문에 언니가 돈을 받고 놀아줄 때는 무조건 나를 주인공 시켜줬고, 그 누구보다도 재미있게 놀아줬다. 그래서 돈 주고 노는 놀이에 빠져 한 때 내 저금통이 몹시 가벼워졌던 기억이 난다.

지금도 다른 자매들에 비하면 같이 잘 놀러다니고 관심사도 비슷해서 친하게 지내고 있다. 물론 같이 붙어있는 시간이 길수록 싸우기도 많이 싸운다. 그런데 어릴 때부터 당한게 있어서 그런지 성인이 된 나는 아직도 언니가 화내면 무섭다.
새끼 때부터 말뚝에 묶였던 코끼리처럼.
지금은 말뚝에서 풀려났는데도 가끔 쪼그라들 때가 있다. 망할.

101

부러워

호연

어릴 적부터 엄마는 언니에게 모든지 잘 사주셨다. 내가 '패션'이라는 것에 대해 관심을 갖게 될 무렵 언니는 이미 키가 다 자라 있었기 때문에 엄마는 나보다는 언니에게 옷을 잘 사주셨다. 쇼핑의 천국인 동인천에 가는 날이면 온갖 브랜드 매장과 백화점을 돌면서 정장, 트레이닝복, 가방, 양말까지 메이커로 쫙 뽑아주셨다. 매번 그런 언니가 부러워 입이 삐죽 나와 터덜터덜 걷고 있으면 엄마는 항상 너는 더 자랄 텐데 지금 사면 얼마 못 입어서 아깝다고 했다.

그러면서 피자헛 피자를 사주며 나를 살살 달래주셨다. 그 피자도 결국 언니랑 같이 먹는건데... 물론 엄마 말이 틀린 건 아니지만 그래도 참 섭섭했고, 언니가 부러우면서도 미웠다.

어느 날은 휠라(당시 엄청 비싸고 유명했던 브랜드) 매장에서 마음에 쏙 드는 남색 단화를 발견했다. 그때 내 발 사이즈가 210mm였는데 그 단화가 마침 내 발 사이즈와 꼭 맞았다. 아동화로 나와서 더 여유있는 사이즈는 없었다. 엄마에게 그 단화가 갖고 싶다고 했더니 역시나 엄마는 한 치수라도 더 큰 게 있으면 사줄 텐데 지금 신발이 너무 딱 맞아 신발을 얼마 못 신고 버리게 될 거라며 나중에 좀 더 크면 더 예쁜 신발로 사주겠다고 했다. 나는 여지껏 쌓였던 설움이 폭발했고, 그 신발에 집착하며 떼를 쓰기 시작했다. 결국 내 성화에 못 이겨 엄마는 휠라 운동화를 사주셨고 나는 애지중지 신발을 아끼며 신고 다녔다. 하지만 한창 성장기였던 나는 발이 금새 커져 버리고 말았다. 그 신발을 너무 좋아했고, 꼭 사달라고 떼를 써가며 졸랐던 내 모습이 멋쩍어서 작아진 신발에 억지로 발을 끼워 넣고 약 1년을 다녔다. 발뒤꿈치가 까졌지만 아무렇지 않은 척 위풍당당하게 등하굣길을 걸어 다녔다.

그 후 세월이 흘러 언니와 나는 어느새 성인이 되었지만 언니는 여전히, 그리고 아직도 내 부러움의 대상이다. 이제는 나도 돈도 벌고 원하는 것이 있으면 언제든 사 입을 수 있는 형편이 됐다. 그런데 이제는 옷이 아니라 언니의 친화적인 성격이 부럽다. 어릴 때부터 언니는 동네 인기쟁이였는데 그땐 또래에 비해 나이가 많기 때문에 얻은 인기라고 생각했었다. 그런데 그게 아니었다는 것을 이제야 알았다. 언니는 사람들을 편하게 만들어 주었던 것이다. 물론 동생인 나만 제외하고 말이다.

내가 스물 여덟 살 되던 해 여름. 언니가 웨이크보드를 배워보자고 제안했다. 물에 대한 겁이 없었기 때문에 재미있을 것 같아 흔쾌히 함께 가평에 있는 빠지로 웨이크보드를 타러 갔다. 그때부터 지금까지 봄, 여름, 가을 매주 웨이크보드를 타러 다니게 되었다. 여러 빠지를 다니면서 다양한 사람들과 어울리고 친해졌는데 항상 그 중심에는 언니가 있었다.

초반 몇 년간은 잘 몰랐다. 내가 사람들에게 다소 어려운 성격(몹시 직설적인 성격. 아닌 척해도 티가 많이 나는 편.)이라는 것을 말이다. 나는 어디에 가도 항상 '은영이 동생'이라고 불렸고, 물론 언니와 내가 거의 함께 다녀서이기도 하지만 대부분의 연락은 언니를 통해 왔으며, 나 역시도 언니가 없는 자리에서는 사람들과 무슨 말을 나눠야 할지 몰라 어색했던 적이 많았다. 항상 언니 주변으로 사람들이 몰렸고, 언니의 친화력을 통해 나도 다른 사람들과 친해지는 게 매년 반복되다 보니 나도 내 성격을 돌아보게 되었다. 지금은 그나마 사회화된 ESTJ[1]가 된 것 같다.

가끔 어릴 적 친구들을 만나면 친구들이 "너희 언니는 잘 지내셔?" 라며 묻는 경우가 종종 있다. 처음에는 '왜 내 친구들이 언니를 기억하지?'라는 의문이 들었다. 그런데 지금 생각해 보면 내가 은연중에 언니 자랑을 많이 했던 것 같다. 언니의 옷을 빌려 입으면서도 '내 옷도

---

1. ESTJ · 성격 유형검사(MBTI)에서 16가지 성격 중 하나의 성격. 외향(E)-내향(I), 감각(S)-직관(N), 사고(T)-감정(F), 판단(J)-인식(P) 등 4가지 분류 기준에 따라 수검자를 16가지 심리 유형의 하나로 분류한다. 그 중 ESTJ는 객관적이고 논리적이며 현실적이고 실용적인 성격을 나타낸다.

아닌데 뭘...'이라는 불평과 불만 속에 '나는 세련된 언니가 있어서 좋은 옷 입는다~'라는 자랑이 내포되어 있었던 것이다. 그래서 친구들은 내가 입고 있는 메이커 옷 보다는 그런 언니를 가진 나를 부러워했고, 아직도 나를 보면 우리 언니가 떠오르는 게 아닌가 싶다.

너무 자랑만 늘어놔서 진짜 우주 최강 천사 언니를 가진 것 같아 보이지만 언니 때문에 깊은 빡침을 느낀 적이 숱하게 많고, 그게 한으로 남아 아직도 고개를 내저을 만한 일들도 상당하다. 하지만 평생을 다퉈와서 그런지 이제는 서로에 대해 어느 정도 이해하고 넘어갈 줄 알게 되었고 또 1억 번 싸우나, 1억 1번 싸우나 별 차이도 없게 느껴지는 요즘이다. 지금은 '뭐해?' 라는 말 한마디로 아무렇지도 않게 풀리는 사이가 되었다. 어쨌든 앞으로 인생을 함께 할 가족이자 평생 친구이기 때문에 좋은 일들만 기록으로 남기고 싶다.

그래도 마지막으로 언니에게 딱 한마디만 하고 싶다.

"김은영. 너 내가 언니라서 봐준거지, 내 동생이었으면 진짜 가만 안 뒀어. 고마워해라."

세번째 이야기

아빠

암흑기

호연

척. 척. 척.

집 안에 빨간 딱지가 붙었다.

슬프지만 영화같은 일이 내게 일어났다.

어릴 적 우리집 경제 수준은 맛있는 것도 먹고, 좋은 물건을 살 수 있는 정도의 그럭저럭 괜찮은 형편이었다. 당시 동인천이 핫한 장소였는데 쇼핑몰도 많았고, 지하상가도 북적북적했으며 맛집도 많았다. 그래서 엄마, 언니, 나는 한 달에 한 두 번은 동인천에 가서 쇼핑도 하고 피자헛에서 피자를 먹고 오는 게 루틴이었다. 당시에는 '피자'가 흔한 음식도 아니었을 뿐더러 '피자헛'이라 하면 더더욱 부의 상징이기도 했고, 지금의 고-오급 레스토랑과 흡사한 정도였달까?

초등학교 저학년이었던 나는 차만 타면 멀미를 했는데 멀미를 꾹 참고서도 동인천 만큼은 따라갔다. 따라가면 꼭 좋은 물건을 살 수 있었고, 피자헛 피자가 너~~무 맛있었기 때문에 그 까짓 멀미쯤이야 넘길 수 있었다.

하지만 동인천에 갈 때 아빠는 항상 없었다. 아빠는 항상 바빴고, 집에 늦게 들어왔기 때문에 어릴 적 아빠와 함께했던 기억이 많지 않다. 그 시절 아빠들의 삶이 다 그랬겠지만 말이다.

그래서 언니랑 나는 아빠와 친하지 않다. 아빠는 여느 가장들처럼 무뚝뚝했고, 십에서는 말수가 없었으며, 직장 동료나 친구들에게만 인기가 많은 사람이었기 때문이다. 엄마도 우리랑 잘 놀아주셨지만 워낙 외향적인 분이라 엄마도 집에 계시기보다는 밖으로 친구들을 만나러 많이 다니셨다. 그래서 어릴 적 엄마, 아빠는 서로의 그런 부분이 마음에 안들어서 정말 많이 싸우셨고, 이혼의 위기를 수 차례 넘기셨다. 두 분이 싸울 때마다 언니와 나는 이불 속에서 숨죽여 울었고, 두 분의 싸움을 모른 척했던 기억이 난다. 우리기 싸움을 인지하는 순간 왠지 정말 두 분이 정말로 이혼할 것 같다는 두려움이 있었기 때문이다.

그 사이 IMF 때문에 세상이 크게 흔들렸고, 아빠는 결국 퇴직을 하셨다. 당시 뉴스에 많이 나왔던 명예퇴직이었던 것 같다. 퇴직금으로 새 집도 구하고, 새 가전제품들도 몽땅 사고, 집 인테리어도 싹 바꿨다. 그후 아빠는 사업까지 시작하셨다. 나는 새집, 새 책상, 새 컴퓨터가 마냥 좋았고, 바보같이 집안 형편이 좋아졌다고만 생각했다.

사실 아빠는 전형적인 월급형 인간이다. 누구보다도 성실하고, 꼼꼼하며, 본인이 손해를 보더라도 '좋은 게 좋은 거지~' 라는 생각을 갖고 계셨기 때문에 사업을 시작해서는 안되는 분이셨다. 결국 새 가게, 새 트럭은 다시 중고로 넘어가게 되었고, 그 시기에 엄마마저 주식에 잘

못 투자하는 바람에 설상가상 집안은 풍비박산이 났다.

　최악이었다.

　나는 질풍노도의 중딩이었고, 언니도 밖으로만 나돌며 집에 마음을 붙이지 못하는 고딩이었으며, 부모님은 매일같이 우당탕탕 소리 높여 다투셨다. 언니도 매번 늦게 들어와 내 두껍고 딱딱한 수학의 정석 책으로 맞는 소리가 고요한 밤에 자주 울려 퍼지던 시기였다.

　내 인생의 암흑기였다.

　이 시기를 정말 정신없이 보냈던 것 같다. 집안이 어려우니 학교 생활도 재미없었고, 특히 이런 가정 상황을 친구들에게 티내고 싶지 않았다. 가족들이 미웠다. 누구 하나 제대로 살고 있지 않은 것 같아서. 정말 많이 괴로웠는데 가족들에게 티낼 수도, 친구들에게 티낼 수 없으니 마음 둘 곳이 없었다.

　결국 집 안에 빨간 딱지가 척.척. 붙었다. TV나 영화에서만 봤었던 정말로 빨.간.딱.지.

　내가 아끼던 책상, 컴퓨터, TV, 냉장고에...

　모르는 사람들이 수시로 찾아왔고, 초인종이 띵동 울리면 TV 소리를 낮추며 집에 아무도 없는 척을 하는 게 일상이었다.

　그 날은 최후의 날이었던 것 같다. 집에 아빠와 나, 단 둘 뿐이었고, 집안에서 경매가 벌렸다. 집은 이미 넘어갔고 남은 건 우리집 가구와 가전제품이었다. 나는 TV를 보는 척하고 있었지만 그 장면을 귀로 듣고 있었다. 낯선 아저씨가 값을 계속 불렀고, 아빠가 더 높은 가격을 불러 방어하는 것 같이 보였다. 그렇게 아빠가 내가 아끼던 것들을 지켜냈다.

  침묵이 흘렀다. 나는 또 아무것도 모르는 척, 아무것도 듣지 못한 척했다. 그날만큼 아빠가 한없이 작아 보였던 날이 없는 것 같다. 딸 앞에서 초라한 모습을 보일 수 밖에 없던 아빠의 심정은 어땠을까.
  집에 붙어 있던 빨간 딱지를 긁어 떼내려 해도 지저분한 흔적이 남아 있듯이 아직도 그 장면이 내 가슴속에 사진처럼 남아있다. 문득 그 사진이 머릿속에 떠오를 때마다 아빠의 작은 뒷모습이 생각난다. 아빠는 아빠만의 방식으로 우리 가족을 지켰던 것 같다.

네번째 이야기

||||

고양이 승기(勝己)

첫 만남

호연

내게는 동생이 하나 있다. 고양이 '김승기'씨이다.

대학교 3학년 때였다. 춘천에서 대학 생활을 3년째 하고 있던 나는 커다란 이별과 배신의 아픔을 겪고 몹시 외롭고 힘든 나날을 보내고 있었다. 집이 인천이라서 매주 집에 가는 것도 귀찮아질 무렵이었고, 내 삶이 너무 힘들어서 가족들 얼굴을 차마 마주 보지 못했던 시기였다. 가족들이 내가 힘든 걸 눈치챌 것 같았다. 살이 너무 빠져 해골이 되어버렸으니까.

힘들었던 마음이 어느 정도 추슬러지고 난 뒤, 당시 나는 마음이 너무 헛헛해서 처음에는 자취방에서 식물을 길러보려고 했다. 인터넷으로 이런저런 식물에 대한 정보를 찾아보니 생각했던 것보다 번거로워 보였다. 분갈이도 해줘야 하고, 햇빛도 충분해야 하며 통풍까지 시켜줘야 한댔다. 그런 수고로움에 비해 식물이 내게 줄 기쁨이 가성비가 떨어지는 것 같아 식물 기르기는 포기했다. (현재는 약 50여종의 식물을 기르는 미친 식물 집사가 되었음.)

식물 다음 타자는 고슴도치였다. 인터넷으로 정보를 찾아보니 밀웜이라는 애벌레를 줘야 한댔다. 벌레 극혐주의자인 나는 빠르게 고슴도치를 포기했다.

그다음 타자는 풀 먹는 작고 귀여운 토끼였다. 그런데 토끼는 집 안에 있는 모든 셋을 갉아먹고, 똥 싸는 자판기라고 했다. 난 쥐꼬리만한 방 한 칸에 월세를 살고 있었기 때문에 집안을 파괴시키는 토끼를 키우는 것은 무리라고 생각했고 역시나 포기했다.

이제 강아지 차례였다. 얼마나 귀여운가 동물인가! 식물? 재미없어! 고슴도치? 따가워서 못만져! 토끼? 훗... 토끼에 비하면 강아지가 훨씬 지능이 높고, 사람과 상호작용이 활발하지 않은가. 그런데 역시나 문제는 바로 '왈왈!' 짖음이었다. 남의 집에 월세로 살고 있는 내게 짖음은 있어서는 안될 일. 민원이 발생해서 쫓겨나면? 입질로 인해 가구를 물어뜯는 상황이 발생하면? 최악의 상황을 생각하니 역시 강아지도 내게는 무리였다.

드디어 마지막... 고양이였다. 강아지에 비하면 우는 소리도 덜하고, 수직 생활이 가능하니까 좁아터진 원룸에서 고양이를 기르는 것이 최선이라고 생각했다. 심지어 화장실도 잘 가리고, 냄새도 안난댄다. 생각이 여기까지 이르고 역시 나는 천재라는 생각에 어깨 뽕이 한껏 올라가 학교 커뮤니티 인터넷 카페에서 고양이 분양을 검색하기 시작했다. 마침 일명 코숏[1]이라고 불리우는 태어난지 3개월 정도 된 고등어 무늬의 귀여운 고양이를 분양한다는 글을 발견했다.
이거다!
분양자에게 바로 연락을 했는데 그 작고 귀여운 고등어 무늬의 고양이는 이미 분양이 됐단다. 남은 건 샴 고양이 3형제 중 마지막 남은 한 마리라고 했다. 이미 벌써 마음속으로는 고양이를 키우고 있던 내게

---

1. 코숏 : 고양이 품종 중 코리아 숏헤어. 한국의 토착 고양이를 말한다.

고민은 사치일 뿐. 바로 다음 날 고양이를 분양받았다.

처음 만난 그 고양이의 첫 인상은 정말 별로였다. 분명 5개월 밖에 안 된 새끼 고양이라고 했는데 내 눈에는 이미 거대한 성인 고양이나 다름없었고, 인터넷 검색창 속 검은빛으로 그라데이션이 멋지게 들어간 샴 고양이가 아니었다. 희끗한 털이 엉성하게 자리잡은 이제 막 사춘기에 접어든 탄빵(덜 익었는데 태우기까지 해서 이도저도 아닌 빵)같이 생긴 고양이였다. 그래도 이미 이름까지 '승기(내가 좋아하던 연예인 이름)'라고 지어 놨으니 낙장불입이었다.

그날부터 승기는 내 동생이 되었다. 그 거대 고양이 승기는 올해로 (2022년) 13살의 검은 털이 자르르하게 반질대는 거대 묘르신이 되었고, 세상에서 가장 아끼는 내 하나뿐인 동생이자, 친구이자, 할아버지가 되었다.

온실 속
호랑이

호연

대학교 3학년 시절 자취방 원룸에서 고양이 김승기 씨와의 생활이 시작되었다.

어릴 때 강아지를 잠깐 키워본 적이 있었다. 그리고 나에게 암흑기를 만들어 줬던 전 남자친구도 강아지를 키웠기 때문에 강아지에 대해서는 꽤 익숙했고, 그래서 고양이 키우기에도 어느 정도 자신감이 있었다.

하지만 역시 오산이었다.

강아지와 고양이의 공통점은 네 발 달린 동물이라는 점 뿐. 그 외에는 뭐 하나 비슷한 점이라고는 없었다. 나의 이 오만한 생각 때문에 우리 승기는 아직도 나를 무서워한다. 그때로 다시 돌아가고 싶을 만큼 내게 천추의 한으로 남아있다.

고양이는 영역 동물이다. 강아지처럼 주인만 있으면 새로운 환경을 잘 견뎌내는 동물이 아니다. 고작 5개월 된 고양이가 새로운 집에서 낯선 사람과 함께 생활하는 것이 얼마나 무섭고 힘들었을까? 나는 그런 줄도 모르고 틈만 나면 화장실 구석에 들어가서 숨고, 호랑이처럼 무서운 소리로 밤새 울어대며 뛰어다니는 걸 못하게 하려고 혼만 냈으니 승기가 낯선 환경에 마음 붙이기 더 어려웠을 것이다. 어릴 때 혼을 많이 내서 그런지 승기는 지금도 내가 살짝만 화를 내도 무서워한다. 사실 나보다 엄마가 더 무섭게 혼내는데도 엄마가 혼낼 때는 엄마를 되려 물이비티서나 약올리듯 노망가는 걸 보면 정말 부럽다.

승기와 나는 내 자취방에서 약 4개월 정도 함께 지냈다. 어느 날은 공강 시간에 잠깐 장을 본 뒤 급하게 물건들만 방에 넣어 두고 수업을 들으러 갔다. 수업이 끝난 뒤 룰루랄라 방으로 돌아왔는데 현관을 열자마자 아주 향기로운 섬유 유연제 냄새가 온 방안에 가득했다. 좋은 냄새에 기분이 좋아지려는 찰나...

'어라? 나 빨래 안했는데...?'

장봤던 물건들을 현관 신발장 위에 올려뒀는데 승기가 신발장 위에 올라가서(점프력이 상당하다.) 장바구니를 뒤적였고, 하필이면 리필형으로 구매한 섬유 유연제의 비닐을 송곳니로 뚫어버렸다. 그렇게 신발장 위에 있던 섬유 유연제가 줄줄줄 흘러내렸고, 바닥에 흥건하게 고여 향기를 퐁퐁 뿜어냈던 것이다.

이 외에도 어느 날은 새벽까지 친구들과 놀다가 술에 잔뜩 취해 집에 들어갔는데 승기가 나의 오랜 부재로 화가 났는지 신발 올려두는 플라스틱 선반을 부숴놓는 바람에(신발장 위로 점프한 것으로 추측) 새벽 3시에 핑글핑글 도는 머리를 부여잡고 쏟아진 신발들을 정리하느라 진땀을 흘렸다. 이뿐만 아니다. 이불 위에 헤어볼을 토해 놔서 한밤 중 빨래를 하게 했는가 하면, 물을 잔뜩 먹고 옷장 위에 올라갔다가 속이 거북했는지 옷장 위에서 폭포수를 쏟아내듯 물토를 하기도 하는 등... 정말 다이나믹한 나날을 보냈다.

우여곡절 끝에 드디어 학기가 끝났고 겨울 방학을 맞이해서 승기를 본가로 데려가야 했다. 부모님이 동물 키우는 걸 좋아하지 않으셨기에 걱정을 많이 했는데 생각보다 수월하게 일이 풀렸다. 부모님께서 친히 차로 데리러 오셨고, 집에 데려가서도 승기가 하는 요상한 행동에 푹 빠져서 흐뭇한 미소를 짓고 계셨다.

약 두 달간 부모님과 함께 생활하다가 새학기가 되어 승기를 다시 내 자취방으로 데려왔다. 이틀쯤 되었을까? 엄마에게서 전화가 왔다.

"승기는 잘 있어? 아빠가 승기 없어서 허전하대. 승기 데려가도 돼?"
그리고서 2시간 후, 부모님이 승기를 데리고 가셨다. 저녁 식사라도 함께 할 줄 알았는데 정말 승기만 데려가셨다.

그렇게 승기는 현재까지 부모님 집에서 건장한 고양이가 되어 우리 집 서열 1위 주인님이 되셨다.
나랑 둘이 살 때보다 승기는 훨씬 더 집에 잘 적응했다. 확실히 고양이는 귀찮게 건드는 사람보다는 곁에 있어 주되 자유롭게 내버려두는 사람을 좋아하는 것 같다. 나는 승기가 너무 좋아서 내 마음대로 번쩍 안아들면서 만지고는 했는데, 부모님은 승기가 다가올 때만 만져주고 그 외에는 내버려두는 편이셔서 현재 승기는 엄마 껌딱지 고양이가 됐다.

승기는 엄마만 외출하면 엄마를 찾아 호랑이처럼 울어대곤 한다. 분명히 나도, 아빠도 있는데... 집에 아무도 없는 것 애처롭게도 울어댄다.

마ー얏
호ー웅ー!!

승기가 온실 속 화초처럼 집 안에서만 곱게 자라서 그런지, 작은 소음(방귀 소리 등)에도 탁구공 튀듯 번쩍 튀어오르며 소스라치게 놀라는 예민함을 보인다. 하지만 배변 뒤에는 야생성이 폭발해서 털을 빵빵하게 부풀리고는 마치 야생 호랑이라도 된 듯 울부짖으며 온 집안을 날아다닌다. 한 밤 중에 울어대며 우다다다 뛰어다닐 때는 정말 웬수가 따로 없지만 잘 때만큼은 천사같다.

승기를 키우면서 '내리 사랑'이라는 말에 크게 공감하고 있다. 마트에 가도 부모님 간식보다는 고양이 용품 코너에서 기웃거리게 되고, 여행을 갔을 때도 부모님 생각보다는 '승기는 잘 있나? 보고 싶다.'라는 생각이 먼저 드는 걸 보면 말이다.

잘 먹고, 잘 싸주는 일이 큰 기쁨이 될 수도 있다는 걸 승기를 키우면서 처음 느껴보았다. 한때는 핸드폰 하나 쥐어주고 연락하는 게 소원이었는데 지금은 그냥 아프지 말고 건강하게 오래오래 같이 살고 싶은 마음뿐이다.

　온실 속 호랑이 같은 우람한 승기는 현재 건강하고 꼬장꼬장한 할아버지가 되어 온 집안 구석구석을 참견하듯 어슬렁거리며 아주 잘 지내고 있다.

:: 반성문 ::

저는 뭣모르던 시절 충동적으로 반려동물을 들였고, 충분한 고민과 고양이에 대한 공부도 하지 않았습니다. 이런 무지로 인한 경솔함이 너무 부끄럽고, 아직도 승기에게 미안한 점이 수만 가지입니다.

반려동물과 함께 하기 위해서는 책임감과 경제적 여건이 무엇보다 중요하며, 함께 사는 가족들의 동의, 동물에 대한 충분한 이해와 공부가 필수 요소입니다.

경솔하게 동물을 들여 승기를 고생을 시켰던 점 뼈저리게 반성하고 있으며, 다시 한번 우리 김승기 씨에게 머리 숙여 깊은 사죄를 드립니다. 평생 사죄하는 마음으로 더욱 맛있는 음식을 바치겠으며, 더욱 다이나믹하게 놀아드릴 것을 약속합니다.

동물 입양은 반드시 신중해야 합니다.

나래

입 밖으로 뱉는 말보다 삼키는 것들이 더 많은,
그래서 겉으론 고요하지만
사실은 마음속에 하고 싶은 말도 생각도 넘쳐 가끔은 괴로운 사람.

대부분의 인간관계 속에서 언제나 늘 내가 많이 참아준다고 생각하지만,
알고 보면 꽤나 참지 않는 존재.
즉각적인 반박 대신, '너 미워!' 스티커를 마음 속에 하나 둘 모아
열 개가 되면 뎅강 손절해버리고 마는 겁쟁이.

게으른 계획주의자이자, 둘째가라면 서러운 원칙주의자.
그렇지만 누구보다도 둥글고 따뜻하게 굴러가는 세상을 꿈꾸곤 합니다.

peachmuffin@naver.com

프롤로그

엄마.

태어나 가장 많이 발음했을 두 글자, 그 옆에서 커서가 깜빡깜빡 한
참을 사라졌다 나타난다. 무슨 자신감인지, 엄마에 관한 글을 쓰겠다
고 마음먹었던 그때의 나를 비웃기라도 하듯. 엄마라는 두 글자 이외
에 아무런 말을 적어 내려가지 못하고 있다.

엄마, 엄마, 엄마...

학교에서 있었던 즐거운 일을 전하고 싶을 때도, 억울하거나 화나는 일이 있었을 때도, 그리고 그냥 별다른 일이 없어도 버릇처럼 불렀던 그 이름, 엄마. 마치 엄마는 태어날 때부터 엄마였던 것처럼, 너무나도 자연스럽게 그 이름이 어울리는 엄마.

엄마에 대해 글을 쓰겠다고 책상맡에 앉아있는 지금, 새삼스럽게 깨닫는다. 나는 엄마에 대해 아는 것이 없구나. 내가 잘 안다고 생각했던 엄마는 사실 엄청나게 일부일 수도 있겠구나. 엄마는 어떤 사람일까. 어떤 꿈을 가지고, 어떤 모습으로 어떻게 살아왔을까. 애써 떠올려 보려 해도 희미한 흔적들 뿐이다.

그럼에도 엄마에 대한 기록을 포기하지 않는 것은, 이렇게라도 문장으로 표현해두지 않으면 지금 엄마의 모습 역시 잘 모른 채로 흐려지고 사라질 것이기 때문이다. 지금의 내 나이보다 훨씬 어렸을 때 나를 낳아 기르기 시작한 엄마. 자라오면서 늘 바라보고 함께였지만, 여전히 잘 모르고 가끔은 이해가 되지 않았던 엄마. 부족하나마 내가 표현한 문장 속 세상으로 초대해보려고 한다.

우리, 엄마를.

칠공주파

나래

난생처음 엄마와 함께 본 영화는 〈써니〉였다.

엄마랑 그렇게 수많은 곳을 함께 다녔어도 영화를 본 적은 없었다. 내가 영화를 별로 좋아하지 않아서도 있었지만 '엄마랑' 영화를 보러 간다는 것 자체가 내게는 낯설기도 했다. 엄마랑? 영화를? 내가? 왜?

무슨 바람이 불었었는지 기억은 잘 나지 않지만 어쨌든 우리 모녀는 처음으로 함께 영화관에 나란히 앉았고, 한창 입소문을 타던 중이었던 그 영화는 무척이나 재미있었다. 그런데 단순히 그냥 영화가 재미있었기 때문에 그날의 기억이 이렇게 선명하게 남은 것은 아니었다. 그날, 내가 단 한 번도 가보지 못했고 가볼 수도 없었던 엄마의 과거를 아주 조금이나마 들여다볼 수 있었기 때문이었다.

"재미있었어, 딸."

영화가 다 끝나고 근처 카페에 앉아 커피와 아이스티, 케이크를 먹으며 한참이나 영화 이야기를 나누었다. 색다른 경험이었다. 엄마랑 영화를 본 것도, 커다란 스크린에 긴긴 시간 동안 집중하는 엄마의 옆모습을 본 것도 처음이었으니까.

"엄마도 저렇게 같이 몰려다니면서 놀았던 친구들 있었어?"

고등학생이었던 나에게도 〈써니〉에 나왔던 주인공들처럼 함께 몰려다니던 친구들이 있었다. 함께 있으면 두려운 것이 없었고, 언제나 모여서 함께 웃고 떠들면 세상 모든 즐거움이 우리에게로 다가와 와르르 쏟아지는 것처럼 느껴지던 그런 친구들. 나에게는 그런 기억이 있었는데 엄마에게도 있을까? 적어도 내가 알고 있는 지금 엄마의 삶 속에는 그런 *끈끈한* 우정을 나누고 있는 친구는 없는 것 같았다. 오로지 집과 회사, 그리고 우리 남매밖에 모르는 사람이라고 생각했다. 어쩌면 엄마에게 그런 친구가 있냐고 물으면서도 으레 없겠거니 생각했던 것 같기도 하다. 그런데 잠시 감상에 잠기는 듯한 표정을 짓던 엄마의 입에서는 내 생각과는 다른 답변이 나왔다.

"있었지, 엄마도."
"진짜? 언제? 고등학교 때?"

끄덕끄덕. 고개를 끄덕거리는 엄마의 입가 위로 작은 미소가 걸렸다. '오, 몇 명이나?' 내 질문에 엄마는 생각에 잠긴 듯 눈을 가늘게 뜨고 가만가만 손가락을 헤아리더니 이내 '일곱 명'이라고 대답했다. 그리고는 한마디를 덧붙였다. '그래서 칠공주파였어.' 세상에나. 내가 초등학생이었을 적 유행했던, 온갖 외계어와 이모티콘이 날아다니던 인터넷 소설에서나 들어봤을 법한 그 이름. '치-ㄹ.공...주우우? 후훙ㅎㅎ 훙ㅎㅎ' 바람 빠지는 소리를 내며 큰 소리로 웃는 나를 보며 엄마도 덩달아 웃었다.

"칠공주파에서 엄마 역할은 뭐였는데? 얼굴짱? 공부짱? 아니면 혹시… 싸움짱?"

예상과는 달리 '과거 있는 여자'였던, 그리고 이제 와 순순히 그 과거를 불고 있는 엄마가 너무 웃기고 귀여워서 여전히 웃음 섞인 목소리로 물었다. 그런 나를 보며 엄마는 제법 진지한 얼굴로 고민했다. 내가 무슨 역할이었더라? 한참 만에 나온 엄마의 대답은 더욱더 대단했다.

"재력짱 정도?"

풉. 하마터면 마시고 있던 아이스티를 코로 뿜을 뻔했다. '그게 뭐야~' 하면서 하하하 크게 웃음이 터진 나를 앞에 앉혀두고 엄마는 열여덟 살, 일곱 명의 소녀 무리 속에서 재력짱이었던 시절로 되돌아간 듯 개구진 얼굴로 웃었다. '이제 와 생각해보니 걔네가 나 놀아준 거, 다 우리 집 돈 보고 놀아줬던 것 같아. 내 도시락 반찬들이랑 더 친하게 지냈던 것 같기도 하고.' 컵에 꽂힌 빨대를 휘휘 저으며 말하던 엄마가 한 마디를 더 덧붙였다.

"아까 영화에서도 그런 장면 나왔잖아. 막 모여 앉아서 라디오에 사연 보내고, 보낸 사연 당첨돼서 디제이가 읽어주진 않을까 기대하면서 같이 듣고. 너무 신기했어. 우리도 그런 적 있었거든. 그때 엽서에 글씨 쓰는 걸 도맡아 했던 애가 글씨를 진짜 잘 썼었는데."

추억에 잠긴 듯 가만가만 이야기하는 엄마가 행복해 보였고, 또 그만큼 아쉬워 보이기도 했다. 고향에서의 행복했던 유년 시절, 그리고 일곱 빛필 무지갯빛 수억을 반늘었을 소중했던 여고 시절. 그 반짝이는 기억들이 온전히 다 빛나기도 전에 외할아버지, 즉 엄마의 아버지가 갑작스레 큰 병을 얻으셨다고 했다. 그런 위기의 순간에는 꼭 누군가의 희생이 필요해지는 법인데, 그 누군가가 바로 우리 엄마였을 것이다. 외할머니는 큰아들과 큰딸, 그리고 막내아들의 뒷바라지를 멈출 수 없었기 때문에. 그리하여 이름도 거창한 칠공주파의 '재력짱'이었던 어느 여고생은 갑작스레 서울의 큰 대학 병원에서 병간호 생활을 시작해야만 했다. 1년, 2년, 3년. 시간이 흐르면서 자연스레 고향 친구들과의 연락이 끊겼다. 그리고 오랜 시간 병마와 싸우던 외할아버지가 돌아가셨다.

그렇게 반짝 빛나던 소녀는 엄마가 되었다.

외할아버지가 돌아가심과 동시에 가세는 기울었다. 물론 엄마와 나이 차이가 꽤 났던 엄마의 큰오빠─내게는 큰외삼촌─가 세운 회사가 다행히 잘 되어서 외할머니는 다시 안정적인 삶을 사실 수 있었지만, 그건 이미 엄마와는 크게 관련이 없는 이야기였다. 그저 외할머니에 대한 걱정을 조금 덜었을 뿐, 엄마는 칠공주파의 재력짱이던 시절로 다시 돌아갈 수 없었다. 가진 것 없는 남자를 만나 사랑해서 결혼했고, 남들은 그렇게 낳고 싶어 해도 낳기 힘들다던 아들 하나 딸 하나를 골고루 얻었다. 기특하게도 그 아들딸이 사고 한 번 치지 않고 성실히 공부도 잘했지만 그런 것들이 주는 기쁨과는 별개로 엄마가 온전히 엄마 자신일 수 있었던 시절은 이제 엄마에게 없다. 엄마가 아니라 누군가의 딸이고 친구였던, 그래서 행복했던 그 시절은 이제 다시 엄마에게 찾아오지 않는다.

고등학교 때 세상 두려울 것 없이 함께 놀았던 신나는 기억들로 서른이 넘은 지금까지도 나는 문득, 이따금, 어느 날 갑자기 불쑥 행복하다. 이런 경험을 할 때마다, 그 시절 켜켜이 쌓아온 추억의 모든 조각이 무척이나 소중해진다. 가사를 돌볼 일도, 병간호를 도맡아 할 일도 없었던 내게도 그런 추억이 넘치지 못해 아쉬울 때가 많다. 그리고 그런 아쉬움이 들 때마다 나는 이제 자연히 엄마를 떠올린다.

엄마도 반짝이던 시절 속 추억으로 이렇게 가끔, 문득 힘을 얻을까? 엄마가 그때의 빛나던 행복을 너무 빨리 잃어버린 것은 아닐까? 혹여나 다행히 잃어버리지 않았더라도, 추억들을 웃으며 곱씹어보기엔 엄마의 그간의 삶이 너무 팍팍하고 힘겨웠던 것은 아닐까?

영화도, 카페에서의 긴긴 수다도 끝나고 더웠던 여름밤. 엄마와 나란히 팔짱을 끼고 걸었던 날. 그때 우리 모녀를 간질이던, 끈적끈적하고 꿉꿉한 여름 밤바람이 아직도 선연하다.

모니터를 앞에 두고 앉아 이 글을 쓰고 있는 지금도 여름이다. 거실 소파에 앉은 엄마가 '나래야 산책하러 갈래?'하고 묻는다.

"당연하지! 엄마 오늘도 와플 대학 입학 고? 나는 오늘 애플 시나몬이랑 블루베리 요거트 젤라또 학과 복수전공 하고 싶어."
"엄마는 오늘 낙산 딸기 누텔라 느낌인데."

엄마 스스로 과거의 찬란했던 추억 속 자기 자신을 떠올릴 수 없대도 괜찮다. 언제고 엄마 곁에서, 엄마의 빛나는 추억을 꺼내줄 수 있는 내가 있으니까.

십여 년 전 그날처럼, 엄마와 함께 여름밤 거리를 걸으며.

새우버거
열 개

나래

어릴 적 살았던 집, 길 건너편에는 롯데리아가 있었다.

그곳은 친구들의 생일마다 어김없이 파티가 열리던 곳이었다. 꼬깃꼬깃 모은 지폐들로 작은 선물을 사서 예쁘게 포장한 채 손에 쥐고 롯데리아의 문턱을 넘어 2층에 있는 파티 전용 좌석으로 가기까지. 콩닥콩닥. 두근대던 심장 박동 소리가 아직도 기억난다. 따뜻하게 구워진 빵 사이로 몇 겹의 양상추와 달콤한 소스, 패티가 겹쳐진 햄버거는 어린 시절 나에게 '너무 맛있는데, 내 돈 주고 자주 사 먹기엔 부담되는' 그런 음식이었다. 그도 그럴 것이, 나는 용돈이 풍족하지 않았던 여느 평범한 집안의 비범하지 못하고 소심한 초딩이었으니까.

그런 '귀한' 햄버거를 자주 먹기 시작했던 것은 내가 초등학교 4학년이 될 무렵이었다. 부유하거나 넉넉하지는 않아도 부족한 것 없이 잘 버텨오던 가계 사정이 급격히 어려워졌다. 엄마는 자연히 맞벌이를 해야 했다. 학교에 다녀오면 항상 엄마가 집 안 어딘가에 있었는데, 그때부턴 엄마가 없었다.

엄마는 그 당시 집에서 가깝지도 않았던, 인천 남동공단의 화장품 용기 공장에서 일했다. 새벽같이 일찍 출근했고, 잔업에 특근에 아주 늦은 밤이 되어서야 귀가했다. 점심은 학교에서 급식으로 먹을 수 있었지만, 저녁은 세 살 터울인 오빠와 내가 오로지 챙겨 먹어야 했다. 열한 살의 나, 그리고 나보다 세 살이 많았던 중학생인 오빠. 그리 어린 나이는 아니었지만, 우리 남매는 노는 것이 서툴렀다. 엄마가 재료를 사다가 손질해 놓아도, 그것들의 원래 쓰임새가 어떤 것인지 도무지 제대로 알 수 없었다. 거의 완제품처럼 만들어져 가열만 하면 되는 그런 반찬들이 어설픈 우리의 손길을 통해 식탁 위에 올려졌다. 큰 불만은 없었다. 뭔가 엄청 어른이 된 것 같은 느낌이었으니까. 비록 덜 익은 돼지고기였고, 소금 간이 한쪽으로 과하게 쏠린 계란 프라이였고, 밀폐용기의 뚜껑을 제대로 닫지 않아 눅눅해진 김이었지만.

그렇게 어설픈 저녁을 먹고 텔레비전 앞에 앉아 깔깔 웃다 보면, 어떤 날에는 늦은 밤 돌아온 엄마 손에는 포동포동 살이 찐 갈색 종이봉투가 들려있었다.

'와! 새우버거다! 새우버거 맞지 엄마?'

지친 엄마의 얼굴은 아랑곳하지 않고 어린 남매는 우다다 달려가서 한밤중의 야식을 신나게 즐겼다. 롯데리아에서는 가끔, 반짝 행사로 새우버거나 불고기버거를 개당 천 원에 팔곤 했다. 한창때의 어린애 둘을 먹이기 위해 엄마는 거금 만 원을 지출하는 일이 잦았다. 그렇게,

엄마가 맞벌이를 시작한 후 우리는 그 행사의 VIP 고객이 되었다. 늦게 퇴근해서 귀가하는 엄마를 기다리는 날보다, 엄마가 사 올 햄버거 열 개가 더 기다려졌던 날도 있었다.

아주 오랜 시간이 흘러 예전 살던 그 동네를 우연히 지나간 일이 있었다. 설레는 마음으로 롯데리아를 드나들던 어린 날의 나는 어느덧 자라서, 푼 돈 모아 산 친구의 생일 선물이 아니라 자동차의 운전대를 잡고 있었다. '내가 이 동네를 운전해서 오다니.' 감격에 젖어있던 내게 엄마가 말했다.

"우리 딸, 예전에 미안했어."

"뭐가?"

"엄마 때문에 네 피부가 그런 것 같아서. 그거 몇 푼 벌겠다고 너랑 오빠를 방치했었네. 몸에 좋지도 않은 것들만 잔뜩 먹게 하고. 엄마는 가끔 그게 사무치게 후회돼."

아토피는 물론이고 대학 병원 피부과에서도 원인을 쉽게 알아내지 못하는 희귀성 피부 질환을 달고 살았다. 그런 나를 늘 안쓰럽게 여기던 엄마가 그 모든 것을 당신 탓으로 돌리고 있었던 줄은 꿈에도 몰랐다. 우리를 위해 돈을 벌겠다는 이유로 우리 남매의 곁에 오래도록 있어 주지 못했던 그때. 나는 손톱 같은 뾰족한 것으로 조금만 힘을 주어 살갗 위를 그으면 그은 그대로 볼록하게 튀어 오르는 신기한 피부 질환이 생겼었다. 어렸을 땐 그게 마냥 신기해서, '엄마! 이거 봐봐. 엄청 신기해. 시계도 그럴 수 있어!'하고 철없이 까불대곤 했었다. 애타는 엄마 마음도 모른 채로. 나는 그저 그게 진짜로 신기했었던 것 같다.

그러다 시간이 조금 흘러 고등학생이 되었을 때쯤에는 또 정말 별 뜻 없이 그런 말도 했었다. '나 피부 묘기증 생긴 거 아마 그때였을걸? 엄마 일 다니기 시작해서, 오빠랑 둘이 밥해 먹던 그때. 돼지고기 덜 익혀 먹은 그때부터. 내가 장담해.'라고. 무너지는 엄마의 마음도 모른 채로. 탓하고자 하는 것은 아니었으나, 의도와는 달리 엄마를 자책의 구렁텅이로 밀어 넣는 말을 아무렇지도 않게 참 잘도 했었다. 그 후로부터 무수히 많은 순간, 엄마는 죄인이 된 느낌으로 안쓰럽고 미안한 마음으로 나를 바라봤겠구나. 그날, 예전 살던 그 동네를 지나며 비로소 깨달았다. 엄마의 잘못이 아닌 것으로 엄마는 아주 오랜 시간 죄책감 속에서 살았을 것이다. 엄마 때문에 내가 아픈 게 아닌데, 나는 엄마 덕분에 이만큼 잘 자랄 수 있었는데.

예순이 훌쩍 넘은 엄마는 아직도 일을 하신다. 그때 그 화장품 용기 공장은 아니지만, 여전히 몸을 움직여야 하는 일을. 날이 갈수록 엄마의 등은 굽어지고, 원래 좋지 않았던 시력도 더더욱 나빠진다.

"엄마가 얼마나 더 일을 할 수 있을까?"

가끔 엄마는 입버릇처럼 그런 말을 하곤 한다. 그러면 나는 나만 믿으라는 듯 가슴팍을 팡팡− 치며 대답한다. 아이 참, 당장 그만둬도 돼!

"그만두면 뭐 먹고 살아?"
"내가 먹여 살리면 되지. 나 돈 벌잖아."
"오, 누가 보면 되게 많이 버는 줄 알겠는데?"
"오늘부터 나 돈 겁나 아껴 쓴다. 내가 뭐 새우버거 열 개 못 사줄까 봐?"

허세를 잔뜩 부리며 새우버거 열 개 얘기를 꺼내면, 엄마는 웃다가 울다가 하는 얼굴이 된다. 내 딴에는 무겁지 않게 내 진심을 전하고 싶었던 것이지만, 엄마에게는 아직도 새우버거 열 개는 아픈 기억을 떠올리는 버튼과도 같은 것이다.

"엄마 일 그만두면 내가 엄마 먹여 살릴게."
"당연한 소리를 정성껏 하네?"
"엄마 일 그만두면 내가 열심히 돈 벌어올게. 그때는 학교 가기 싫다는 말 안 할게."
"지금부터 좀 그러면 안될까? 네가 선생님인데 맨날 학교 가기 싫다고 하면 어떡해?"

"엄마 일 그만두면, 내가 가끔 새우버거 열 개 사 올게."

"……"

엄마 때문이 아니에요.

엄마 덕분이에요.

'어휴'의
역설

나래

대학 때 전공 수업 중에 논리학 수업이 있었다.

그때 교수님은 너무나도 논리학 수업의 교수님다웠다. 온화한 얼굴이셨지만 말에는 언제나 강력한 힘과 뼈가 있었고, 그 어떤 반박을 들이대도 다 막아내고 튕겨낼 수 있는 철통같은 방패를 지니고 계신 것만 같았다. 교수님은 본인이 소유하신 논리적인 언쟁 기법에 대해 아낌없이 설파해 주셨다. 그렇게 200%, 오로지 말로만 이루어지는 교수님의 이론 수업은 그리 유쾌하지 않았고 오히려 지루한 편이었지만, 나는 실전에 강했다.

사실은 그 수업이 아니어도 나는 누군가와 이야기를 나눌 때 논리적으로 대화를 구성하는 방법에 능숙했다. 속된 말로 '말싸움을 잘하는' 사람이기도 했다. 내 분에 내가 못 이겨 염소처럼 목소리를 떨지 않는다면 말이다. 곰곰이 생각해보니, 어렸을 때부터 엄마가 열심히 사다 날라 주신 책 덕분인 듯하다. 심심풀이로 읽었던 수많은 책, 종류도 다양한 그 책들 덕분에 나의 머릿속 논리는 체계적인 형태를 갖추었고, 내 입 밖으로 뱉어지는 말들은 토실토실 살이 쪘다.

재미있는 것은, 엄마의 노력과 지원으로 차곡차곡 쌓아온 뛰어난 언변으로 가장 괴로워하는 사람이 엄마 자신이라는 점이다.

사실 나는 사람들과 논쟁하는 것을 별로 좋아하지 않는다. 내가 이미 모두 다 알고 있는 이야기인데 그것에 대해 누군가가 나에게 하나

부터 열까지 설명하려고 하면, 나는 애초부터 그런 지식을 처음 접하는 것이냥 잠자코 듣는다. 누군가 참이 아닌 이야기를 참인 것처럼 이야기하는 와중에 내가 그 참에 대해 제대로 알고 있다 하더라도, 나는 웬만하면 그의 말을 반박하지 않는다. 내 생각과 정반대인 다른 이야기를 들어도 '음 당신은 그렇군요. 그럴 수 있죠.' 하고 만다. 말하는 것보다 듣는 것을 선호하기도 하고, 또 나로 인해 불필요하게 대화가 길어지기를 바라지 않을 때도 많기 때문이다. 그런데 이런 나의 특성은 어디까지나 '집 밖에서만' 발휘된다. 엄마는 다르다. 매일 만나고, 함께 부딪히며 살고, 앞으로도 평생을 같이 가야 할 사람이니까. 어쨌든 그런 이유로, 엄마와는 가끔 언성을 높여가며 언쟁을 주고받는다.

그렇게 크고 작은 말다툼이 일어날 때마다 엄마의 단계는 늘 비슷비슷하다.

처음에는 나름 엄마 자신의 의견을 열심히 피력한다. 나는 잠자코 듣는다. 그러다 지적해야 할 부분이나, 엄마가 고쳐주길 바라는 부분들을 콕 집어 말한다. 그러면 엄마는 지적당했다는 사실만으로도 마음 한 곳에 살짝 생채기를 입는다.

그러면 그 상처 위를 방어하기 위한 방패를 펼치며 다소 무리수가 섞인 발언을 덧붙인다. 나는 또 그런 부분은 참을 수가 없고, '엄마 그건 아니지이-' 하며 말의 길이가 길어진다. 그러면 엄마는 또, '뭐가 아닌데?' 하며 안 그래도 큰 눈을 더 크게 키운다.

그렇게 몇 번 주고받다 보면, 엄마의 얼굴이 붉어지며 목소리 톤이 한층 높아지는 순간이 온다. 그러면 어김없이 엄마 입에서는,

"어우, 누가 선생 아니랄까봐. 너는 가끔, 아니 아주 자주. 엄마를 네가 가르치는 학생이라고 생각하는 경향이 있어."

라는 말이 나온다. 처음 그런 말을 들었을 땐 '선생질한다는 뜻인가?' 싶어서 나도 흥분했었는데, 이제 하도 들으니 별 타격도 없다.

"내가 선생이라서가 아니라, 엄마가 옳지 않은 말을 하니까 그러는 거잖아."

차분하게 받아치는 나를 보며 더 약이 오른 엄마는 이쯤 되면 더는 나와 대화를 이어갈 에너지를 갖고 있지 않은 사람처럼 보인다. 그리고 그걸 티 내지 않으려 애쓴다. 그래봤자 다 티가 난다는 게 함정이지만. 어쨌든 그런 한계 상황이 점점 다가오면, 엄마는 아끼고 아끼고 아꼈던 마지막 화살을 쏘기 위해 젖 먹던 힘까지 좌악- 모아 활시위를 당긴다. 그리고 나를 향해, 쏜다.

"어휴, 너는 무슨 말을 못 하게 해."

어휴- 가 나오는 순간 나는 뒤에 어떤 말이 따라올지 이미 너무 잘 안다. 30여 년을 넘마의 딸로 살면서 얻게 된, 조건반사 반응 같은 것일

까? 종소리를 듣기만 해도 밥 주는 시간임을 알아채고 침을 흘리며 꼬리를 격렬히 흔드는 파블로프의 개처럼, 나는 엄마가 어휴— 만 해도 그 뒤에 붙을 말을 이미 들은 것 같은 느낌이었다.

그런데 참 아이러니한 것은, 엄마가 저 말을 했을 땐 이미 본인이 하고 싶은 말을 어느 정도 다 한 상태라는 것이다. 이미 하고 싶은 말은 다 했는데 말다툼에서 열세에 몰려 더는 할 말이 없을 때. 그럴 때 엄마는 말한다. 너는 무슨 말을 못 하게 해. 그 말을 하는 순간까지도 말을 하고 있는데, 말을 못 하게 한다고 한다. 마치 내가 입이라도 막은 것처럼 말이다.

어쨌든 엄마와의 전쟁에서 저 대사가 나오는 순간, 나는 아직 기운이 남았다 하더라도 전의를 모두 상실하고 만다. 논리로 받아쳐야 핑퐁이 되는데, 논리 없이 응 너 잘났다, 하는 순간 대화는 더 이루어지지 않기 때문이다. 그래서 나는 입을 다문다. 내가 먼저 입을 다물기를 엄마도 원했을지도 모른다고 생각하면서. 그러면 우리의 다툼도 끝이 난다.

대부분의 경우 친구 같은 모녀 사이였지만 말다툼을 할 땐 또 격렬하게 다투곤 했었는데, 그런 엄마가 이제 '어휴—' 하는 빈도도 현저히 줄었다. 오히려 이제는 자꾸만 내 눈치를 보고, 엄마가 원치 않더라도 나에게 맞춰주고 있는 느낌을 받을 때도 많다. 나를 위해 양보하고, 나를 위해 엄마의 바람을 포기하는 순간이 많아지는 것을 느낀다. 한창 어릴 때 엄마랑 싸우고 나면, 엄마는 왜 나를 이해 못 하지? 왜 나에게 맞춰주지 않지? 엄마가 포기하면 우리 둘 다 평화롭고 편할 텐데? 하고 생각했었는데, 막상 엄마가 져 주기 시작하니까 오히려 마음 한구석이 몹시 불편하다. 이보다 더한 불효가 없는 것 같다는, 내 안의 유교걸이 움트는 듯한 그런 생각도 들고.

어린 나를 키우고 책임지던 엄마는 이제 역으로 나의 돌봄을 필요로 하는 나이에 접어들었다. 아직은 대놓고 나의 도움을 청하지는 않지만, 순간순간 '나 없이 엄마의 남은 삶이 괜찮을까?' 하는 생각을 하게 될 때가 많아진다. 그리고 엄마 자신도 아마 그것을 느끼고 있는 것 같다.

'점심때 오랜만에 햄버거를 먹으러 갔었는데, 키오스크 기계로만 주문할 수 있어서 결국은 못 먹고 그냥 돌아왔어.'

그럴 땐 내 나이 또래의 젊은 여성분들에게 도움을 요청해보라고, 그러면 웬만하면 다들 친절하게 알려줄 거라고 몇 번을 이야기 했는데도 엄마는 아직 그게 머쓱한지 실천하지 못하곤 했다.

'보험금 청구하려고 서류를 다 준비했는데, 어플로 사진 찍어서 청구하면 되는데 왜 굳이 번거롭게 등기로 보내려고 하냐는 말에 뭐라고 대답을 못 하겠더라.'

어플 사용 방법을 일일이 알려주기가 귀찮아서 내가 그냥 대신 입력해주는 경우가 많았다. 또 어떤 날은 그것조차 너무 귀찮아서 한껏 짜증이 묻은 투로 '그냥 등기로 보내도 되지 않을까?' 하고 받아친 적이 있었는데, 그 뒤로 엄마는 내게 더는 그것에 대해 묻지 않았다.

그런 순간을 맞닥뜨리면, 이제는 거의 모든 상황에서 나에게 져 주고 양보하고 물러서는 엄마를 떠올리게 된다. 물론 내 도움이 필요하기 때문에 져 주는 것만은 아니겠지만, 그래도 엄마가 바람 빠진 튜브처럼, 이빨 빠진 호랑이처럼 흐물흐물해진 모습을 보고 있자니 마음 한 구석이 씁쓸하다. 엄마랑 팽팽하게 대립하는 것도 별로지만, 또 내가 일방적으로 우위에 있는 그림도 영 유쾌하진 않은 느낌이랄까.

그런 싱숭생숭한 마음이 들 때마다, 아주 어린 나에게 모든 것을 하나하나 다 가르쳐주고 이끌어주던 젊은 날의 엄마를 상상해본다.

이게 모야?

이건 모야?

왜?

왜 그런데?

세상 모든 것이 궁금하고 모든 것을 질문할 기세로 엄마 곁에서 종알대던 나에게 일일이 하나하나 다 답변해주던, 상냥하고 인내심 많은 엄마를 떠올린다. 그리고 나도 다짐한다. 나의 인내심을 모두 긁어모아, 나의 다정함을 모으고 또 모아 엄마에게 모두 쓰겠노라고.

그래도 엄마,

무슨 말을 못 하게 한다는 그 말만은, 더는 하지 않기!

약속!

엄마는
엄마가
되고
싶었을까

나래

나는 아주 오랫동안 '내 꿈'을 이루는 것이 더 중요하던 삶을 살았다.

요약해서 설명하기에도 장황한, 그야말로 정말 다양했던 고난과 고난과 고난들 끝에 원했던 꿈의 모양을 100% 빚어내지는 못한 채 불안정한 모양새로 얼레벌레 살아가던 2018년. 현실의 불안함을 애써 잊어보고 극복하고자 여러 가지 책을 읽던 그때, 어느 책에서 이런 구절을 발견했다.

> 엄마는 엄마가 되고 싶었을까.
> 아니면 엄마가 되어버린 걸까.
> 엄마는 엄마가 된 엄마가 마음에 들까.
> 아니면 엄마가 되지 않았을 엄마를 꿈꿀까.
>
> - 김신회, 「보노보노처럼 살다니 다행이야」 중에서 -

한동안 책장을 더 넘기지도, 그렇다고 완전히 덮어버리지도 못한 채 멍하게 들여다보며 앉아있었다. 엄마가 되고 싶다, 엄마가 되었다, 엄마가 되어버렸다… 뒤에 붙는 술어만 살짝 달라졌을 뿐인, 고만고만한 비슷한 문장들이 기나긴 자기연민에 빠져있던 나에게 세고 매운 한 방을 시원하게 날린 것 같았다.

생각해보니 태어나 단 한 번도 엄마의 꿈을 물어본 적이 없었던 것 같다. 나와 오빠를 낳기 전, 아빠를 만나기 전, 엄마 개인으로서의 한 사람의 삶에 대해 전혀 생각해보지 않았던 것이다. 마치 엄마는 처음부터 엄마로 태어났던 것처럼. 엄마 아니던 시절의 엄마는 없었던 것처럼.

펼쳐둔 한 권의 책 속에서 날아온 불주먹 한 방을 세게 맞은 그날 밤, 엄마의 퇴근을 그보다 더 기다렸던 날이 있었을까. 피곤함과 고됨이 잔뜩 묻은 엄마 얼굴이 현관문 사이로 보이자마자 '엄마!'하고 외쳤다. 그리고는 대답할 틈도 주지 않고, 아직 외투도 채 벗지 못한 엄마에게 연이어 물었다. 엄마는 꿈이 뭐야? 엄마의 꿈은 뭐였어?

애가 왜 이래, 하던 그때의 엄마 표정은 여러 가지가 복합적으로 버무려진 표정이었다. 당혹감과 당황스러움, 순간적으로 스치는 난감함, 그리고 과거에 지녔던 꿈에 대한 회상까지. 전쟁 같은 하루를 보내고 돌아오자마자 가장 처음 들을 질문으로는 그리 적합하지 않은 것이었음이 확실했다. 그렇지만 그때 나에겐 그런 건 또 별로 중요하지 않았다. 맡겨둔 짐 보따리 내놓으라 떼쓰는 어린애처럼 '아 꿈이 뭐였는데. 뭔데, 어?'하고 재촉할 뿐.

"꿈? 그런 거 없었는데."
"어떻게 꿈이 없을 수 있어? 하고 싶은 거 있었을 거 아냐."

순간, 꿈이 없어서 하고 싶은 게 없어요- 하며 넋 나간 표정을 짓는 우리 반 애들을 떠올릴 뻔했다. 물론 현생을 사는 직장인이자 학생들의 길잡이가 되어야 할 교사로서의 나의 자아였다면 저런 식으로 대구하지는 않았을 것이다. 그러나 엄마 앞에서의 나는 직장인도 교사도 아니니까. 그 당시, 인생살이 29년 만에야 엄마의 꿈이 뭐였을까 이제 막 떠올린 철없고 지밖에 모르는 자식이었으니까. 지금 중요한 게 엄마의 꿈인지, 엄마의 꿈이 뭔지 궁금해 죽을 것 같은 내 궁금증을 해소하는 것인지. 약간은 헷갈렸지만.

"하고 싶은 거? 군인?"
"군이-인?"
"응. 여군이 되고 싶었어."

그렇게 아무렇지도 않은 듯 툭.
꿈 한 무더기를 내 앞에 던져놓고 방으로 들어간 엄마는 주섬주섬 바깥세상에서 이고 지고 들어온 무거운 짐들을 하나씩 홀렁홀렁 벗어던지고 있었다. 군인이라니. 상상도 못 한 직업이 갑자기 튀어나와서 '와씨, 대-박'만 연발하고 있었다.

"엄마 근데 군인 잘 어울려. 잘했을 것 같아. 나도 대학생 때 잠깐이지만 군인 하고 싶었었는데!"

내 모교는 여대였는데, 내가 휴학했다 3학년으로 복학했을 때 모교에 학군단 제도가 도입됐다. 같은 과 후배가 학군단 정복을 입고 각 잡힌 007 가방을 들고 전공 수업에 들어오던 모습을 보고 어찌나 부럽고 또 부럽던지. 나이노 안 돼, 체력도 안 돼, 도무지 되는 게 없네. 부러움 반 포기 반의 심정으로 후배의 가방만 만지작대던 그때를 떠올리며 '나도 하고 싶었었는데!'하고 외친 나는 연이어 또다시 물었다. 그런데 왜 안 했어?

"그냥. 그땐 어떻게 하면 여군이 될 수 있었는지 몰랐지 뭐. 어떻게 해야 꿈을 이룰 수 있는지, 또 어떻게 하면 내 삶만 생각하고 살 수 있는지. 그런 걸 누가 말해준 적 없었어."

이번엔 뜨겁다기보다는 오히려 묵직한 한 방을 더 맞은 느낌이었다. 어쩌면 아주 오랜 시간 엄마의 삶이 순간순간 슬프고, 엄마도 엄마 스스로가 안쓰러웠겠구나 하는 생각이 들었다. 마치 아주 오랫동안, 외적인 요인으로 인해 끼워 맞추지 못하고 어긋나있던 퍼즐 한 조각을 손에 쥔 채 멀거니 서서 자기연민에 빠져 살던 나처럼 말이다.

학교에서 수많은 것들을 가르치고, 나 또한 배우며 살아가고 있지만 정말 엄마 말처럼 그런 건 누군가 가르쳐주지 않는다.

'임금은 임금답게, 신하는 신하답게, 부모와 자식은 각각 부모, 자식답게 살아야 한다.(君君臣臣父父子子)'는 공자의 가르침을 매해 시험 문제에 출제한다. 그러나 나답게, 내가 오롯이 '나'로서 살아갈 수 있는 방법을 묻는다면, 글쎄. 단번에 대답할 수 있을까? 이렇게 개개인의 삶과 선택을 중시하는 시대를 살아가고 있는 나도 여전히 한 치 앞도 보이지 않는 미로 가운데에 던져져 있는데, 그 옛날 '우리'를 더 중요하게 생각했던 시절을 살았던 엄마는 그 대답을 찾기가 더더욱 어려웠을 것이다. 자기가 좋아하는 것을 찾아 나서기보다 언니 오빠 남동생의 교복 깃에 풀을 먹여 빳빳하게 다리는 것이 더 중요했을 테니까. 가족들의 삶을 들여다보느라 정작 자기 자신은 제대로 돌보지 못했던 낯선 미로 속의 여행자. 겹겹이 쌓여온 삶의 무게가 어느덧 굽어버린 엄마의 어깨며 등 위로 잔뜩 내려 앉아있었다. 여태 몰랐는데, 이제야 그게 보였다.

"그냥 꿈 찾아 가지. 결혼하지 말고."
"뭐 결혼 때문에 못 이뤘나? 결혼 안 했어도 비슷했을걸? 괜히 너네만 없었을 거고."

그렇게 말할 줄 알았다. '엄마 삶에서 제일 큰 이득이 뭐야?'라고 물었을 때 늘 나와 오빠라고 말했기 때문에.

"지겹지도 않아? 맨날 누구를 위해 살아, 엄마는."

부모님을 위해, 형제들을 위해, 남편과 자식들을 위해. 언제나 엄마는 그렇게 산다.

2018년의 그 날, 엄마의 꿈을 처음 들었던 그 날을 계기로 나는 아주 오랜 시긴 임미를 생각했나.

엄마가 되고 싶었던 것은 아니었지만 어쨌든 엄마가 되어버렸고, 엄마가 된 엄마 자신이 그렇게 썩 마음에 드는 것까진 아니지만 그렇다고 엄마가 되지 않았을 엄마를 꿈꾸지는 않는 엄마를.

엄마와 엄마의 꿈, 엄마의 삶에 대해 아주 오랫동안 생각한 그 후. 그 때부터 지금까지 내 삶의 모토 중 하나는 '엄마 하고 싶은 거 다 해.' 이다. 오랜 시간 자신보다는 남을 위해 살아온 사람이니까 지금부터라도 본인 하고픈 것들을 하나씩 해봤으면 좋겠다는 마음에서였다.

어차피 그래봤자 엄마는 엄청난 쫄보라 거창한 걸 이야기하진 못한다. 뭔가를 좋아하기는 하는데, 그걸 내게 해달라고 말하지 못하는 것이다. 아주 오랜 시간 그런 삶을 살았으니 그러려니 한다. 뭔가를 해달라고 요청하는 삶보단 주로 해주는 삶을 살았고, 자신이 원하는 것보단 남이 원하는 쪽에 맞춰 사는 삶을 살았으니까.

그런 쫄보 덕분에 내 몸과 차가 바빠지고, 내 통장이 홀쭉해졌다. 엄마가 요구하지 않아도 나는 엄마를 전국 방방곡곡 모시고 다니며 엄마의 눈에 예쁜 풍경을 담았고 엄마의 뱃속을 맛있는 향토 음식으로 가득 채웠다. 집순이에게는 꽤 큰 결심이 아닐 수 없었다.

"오른쪽 위에 나오는 종목이랑 선수 이름이 잘 안 보여."

지난 겨울 올림픽 시즌, 지나가는 말처럼 슬쩍 흘린 엄마의 말 한마디에 우리 집 텔레비전은 몸집을 한껏 키우게 됐다. 처음엔 왜 멀쩡한 걸 두고 큰돈을 쓰냐며 만류하던 엄마도, 막상 설치된 커다랗고 선명한 화면의 텔레비전을 보더니 자막이 속 시원히 다 보인다고 이제야 살 것 같다며 행복해했다.

"임영웅이 전국 투어 콘서트를 한다네?"

나 대신 효도해주는 임영웅 씨 콘서트는 못 참지. 덕분에 피 터지는 티켓팅—일명 피켓팅—에 여러 번 참전해야 했다. 그렇게 처음 가본 대전에서 성심당 빵을 먹어봤고, 파란 옷을 입고 형형색색으로 변신하는 야광봉을 들고 엇박자지만 신나게 환호하는 엄마의 행복한 뒷모습을 봤다. 다음 주에도 엄마는 인천에서 하는 임영웅 콘서트를 또간다. 이번에는 엄마 인생에 처음으로, 혼자 콘서트를 관람하는 것이다. 소녀처럼 설레며 행복해하는 엄마를 보며 나까지도 행복하다. 엄마의 노력으로 누군가가 행복해하는 걸 보며, 엄마도 조금은 행복을 느꼈을까!

엄마, 비록 엄마의 꿈을 이루진 못했지만

그래도

엄마 하고 싶은 거

다- 해.

나는 절대
엄마랑
친구
안 했을 거야

나래

지금은 엄마가 나에게 져 주는 일이 많지만, 불과 몇 년 전만 해도 불 같은 성격의 우리 모녀는 한 번 싸우면 그 누구도 말릴 수 없는 정도의 싸움을 하곤 했다.

술을 일절 입에도 대지 못하는 엄마는 나와 싸우면 홧김에 그렇게 술을 마셨다. 평소 맥주 한 모금도 마시지 못하는 엄마가 소주를 병째로 들고 마시는 날도 있었다. 그런 모습을 보면 말릴 만도 한데, 더 독한 딸인 나는 두 눈을 질끈 감고 그걸 모른 척했다.

내가 차를 갖게 된 후에는 주로 기동력을 갖춘 내가 집을 나가곤 했다. 예전에는 엄마랑 싸워도 고작 내 방문을 쾅 닫고 침대에 누워 엉엉 우는 정도만 할 수 있었는데−쾅 소리에 엄마가 '저게 어디서 문을 저렇게 함부로 닫아!' 하면, '아 바람 때문에 그런 거야!' 했고−, 이제는 차가 있으니 어디든 갈 수 있다는 자신감이 생긴 것이다.

그날도 뭐 때문에 싸웠는지 기억조차 나지 않는 아주 사소한 일로 엄마와 언성을 높였다. 아마도 엄마 아들의 결혼식 준비로 엄마도, 나도 심신이 모두 매우 지쳐있는 상태였을 것이다. 주말에는 꼭 집에서 쉬어야 하는 본 투 비 집순이인 나는 몇 주 째 하인처럼 엄마를 모시고 예식장이며, 한복집이며, 금은방까지 여기저기 다니고 있었다. 좋은 일인 건 알겠는데, 왜 내가 이렇게까지 해야 해? 불퉁한 표정의 내가 못마땅했던 엄마와, 앓는 소리도 못 하냐며 나름 억울했던 나. 한 치의 틀림 없이 서로 아고 싶은 말을 큰 목소리로 주고받았고, 마지막에 나는 묵직한 한 방을 날렸다.

"진심 내가 엄마 딸로 태어났으니 같이 다니는 줄 알아. 나 엄마랑 동년배로 태어났으면 엄마랑 저얼-대 친구 안 했을 거야. 진짜 안 맞아!"

우리 가족 중에서 말발로는 나를 이길 사람이 아무도 없었다. 이건 엄마 아들도 인정하는 부분이다. 그런데 유독 그날따라 엄마의 전투력도 만렙이었고, 엄마는 곧잘 내 말을 받아치고 있었다. 그러나 마지막 내 한 방이 엄마의 가슴 속에 팍 하고 날아가 제대로 꽂혀버렸던 것 같다. 더 이상의 방어전은 이어지지 않았다. 다만 그렇게 열세에 몰렸을 때 엄마가 주로 쓰는 멘트가 그날도 어김없이 등장했다.

"지독하다 지독해, 그래 너 잘났다. 너랑 더는 못 살아!"

그러면 나는 그 말에도 전혀 지지 않고 응수했다.

"내가 나갈게, 내가 나가면 되지! 내가 나갈 거야!"

그러고는 차 키와 휴대전화만 덥석 쥐고 무작정 집 밖을 나섰다. 엄마와는 크게 다퉜지만, 작고 귀여운 내 차는 나에게 소리를 치지도 나를 배신하지도 않을 거란 굳은 믿음이 있었다. 냅다 차에 올라타긴 했는데, 주말이라 머리도 감지 않고 옷차림도 꾀죄죄했다. 큰 소릴 뻥뻥 치고 나왔지만, 막상 갈 곳도 딱히 없었다.

집 근처 아라뱃길 주차장으로 천천히 차를 몰았다. 추운 날씨에도 주차장에는 차가 꽤 많았다. 외투도 챙겨입지 못하고 나와서 히터를 계속 켜두고 싶었지만, 공회전을 할 수 없어 시동을 끄고 뒷좌석에 두었던 담요를 목 끝까지 덮고 시트를 젖혀 누웠다. 갑자기 말로 표현할 수 없는 설움과 분노와 미움이 한꺼번에 우르르 몰려왔다. 추운 날 차에 누워 울고 있는 나 자신이 너무 불쌍했다. 그러다가도 문득, 이렇게 추운 날 밖에서 떨면서 울고 있는 것이 엄마가 아니라 나라서 다행이라는 생각도 아주 조금은 들었다.

아 나 진짜 이렇게 효녀일 수가 없는데. 우리 엄마 너무해.

그런 생각을 하니까 더 서러워서 눈물이 쉴 새 없이 주루룩 주루룩 흘렀다.

얼마나 시간이 지났을까.

갑자기 똑똑, 하고 운전석 창문을 누군가 두들겼다. 아까부터 강아지가 줄기차게 왈왈! 하고 짖어대고 사람이 내렸다 탔다를 반복하던 봉고차에서 내린 아저씨였다. 내가 뭔가 잘못했나, 나 공회전 안 하려고 시동도 다 끄고 추위에 떨고 있었는데. 눈물 콧물 범벅이 된 얼굴을 미처 정리하지 못하고 차 문부터 열었다. '무슨 일이세요?' 축축한 목소리로 내가 물었고, 반쯤 열린 문틈 사이로 김이 모락모락 올라오는 따뜻한 기피 안 산와 소고바 세 개가 불쑥 내밀어졌다. 투박한 손이었다.

"아가씨, 추운데 이거라도 먹고 힘내요. 젊은 아가씨가 너무 서럽게 울어서. 우리 딸 같아서."

"아…… 저 괜찮은데……"

"내가 저기 편의점까지 가서 일부러 사 온 거니까, 꼭 다 먹어요. 기운 내고요. 다 잘 될 거예요."

평소 커피는 무조건 아이스라며, 한겨울에 얼어 죽어도 아이스 커피를 외치던 나였지만 그날 마셨던 천 원짜리 따뜻한 커피는 아주 오랫동안 기억될 맛이었다. 처음 본 낯선 이의 따뜻한 호의에 더 큰 소리로 엉엉 울면서도, 아저씨의 당부대로 초코바를 세 개 모두 씩씩하게 까 먹은 나는 곧장 집으로 향했다. 현관문 비밀번호를 띠띠띠 누르고 들어서자, 마치 오래전부터 나를 기다리고 서 있었던 것처럼 바로 엄마가 보였다. 엄므아- 뭉개지는 발음으로 엄마를 다 부르지도 못하고 울어버리는 나를 보고 엄마는 어이없는 표정을 했다. 그러나 그것도 잠시, 엄마와 나는 부둥켜안고 함께 울었다.

"아니 그래가지고. 그 아저씨가. 초코바를 줬는데."

"너 잘 먹지도 않잖아, 그거."

"어. 근데 그냥 다 먹었어. 그냥 그래야 할 것 같아서."

거실에 나란히 누워 마스크팩을 붙인 채로 낮에 있었던 훈훈한 이야기를 나누었다. 언제 싸웠냐는 듯 지극히도 일상적인 대화였다.

"되게 좋은 분이시다. 엄마는 용기가 없어서 그렇게 못 할 것 같은데."

"그니까. 근데 그분도 내가 엄마랑 싸우고 집 나와서 울고 있을 거라곤 생각 못 하셨을 것 같지 않아?"

"오브 코올스지. 그렇게 싸우고 덜렁 집 나가버리는 딸이 어디 흔하냐?"

이상하다. 이날 싸울 때 엄마는 술을 마시지 않았는데, 마치 술을 마신 것처럼 농담을 했다.

"뭐래. 진짜 완전 안 맞아. 어우. 나는 진짜 엄마랑 친구는 못 했을 듯."

"얘, 나도 너랑 친구 안 해. 아까 이 얘기를 못 해서 억울했어."

:: 덧붙이는 글 ::

2021년 12월 12일 일요일. 아라뱃길 검암역 부근 주차장에서 따뜻한 커피와 초코바, 그리고 위로를 나눠주신 아저씨, 진심으로 감사했어요. 저에게 주신 따뜻한 마음, 저도 다른 사람에게도 나누며 사는 사람이 되겠습니다!

엄마 아들 장가 가던 날 번외

나래

세 살 터울의 우리 남매는 사이가 참 좋았다.

기본적으로 엄마에게도 다정한, 속칭 딸 같은 아들이어서 그랬을까? 내게도 엄마 아들은 그리 크게 부족하지도 싫지도 않은 그런 존재였다. 입맛도 취향도 크게 다르지 않아 다툴 일도 없었고, 간혹 다투더라도 둘 다 '으이구, 마음 넓은 내가 봐준다.' 하며 얼떨결에 서로에게 양보도 자주 했다. 치킨 한 마리를 시키면 서로 닭 다리를 먹겠다고 싸울 수도 있건만, 엄마 아들은 '그럴 거면 처음부터 두 마리를 시키자 나래야—' 하는 사람이었다. 평화를 지향하는 쾌남이랄까.

그래서 그랬을까? 다른 남매들은 상상하는 것만으로도 두드러기가 올라오는 것 같다고 치를 떠는, 남매 둘이 떠나는 여행도 우리는 여러 번 다녀왔다.

내 인생의 처음이자 아마도 마지막일 한라산 등반 역시 엄마 아들과 함께였다. 등산이라고는 동네 뒷동산에 두어 번 다녀본 것이 전부였던, 한마디로 등산 '알못'이었던 나를 데리고 용감하게도 한라산 등반 계획을 세웠던 엄마 아들은 아직도 그때를 회상할 때면 아찔하다는 듯한 표정을 짓는다.

"나는 너 그때 진짜 집 안 간다고, 그냥 한라산에서 살겠다고 할까 봐 엄청 쫄았었어."

체력 안배라는 것은 듣도 보도 못했던 나는 올라갈 때 내가 가진 체력의 100%를 이미 다 썼다. 백록담을 분명 보긴 봤는데 그 기억은 거의 없고, 꽝꽝 언 차가운 김밥 한 줄을 코로 먹는지 입으로 먹는지도 알지 못한 채 대충 우걱우걱 주워 먹고 바닥에 멀거니 앉아있던 기억만 날 뿐이다. 초점을 잃은 나의 눈을 보며 엄마 아들은 크나큰 불안에 몸이 덜덜 떨렸었다고 했다. 부디 이 어린양이 하산하는 동안 쓰러지거나, 아예 하산하기를 포기하지 않게 해달라고 기도했다나 뭐라나.

'나래야, 너 무사히 다 내려가면 오빠가 시내 면세점 가서 향수 사줄게. 제발 내려가자, 어? 집에는 가야지, 그치?'

본인도 힘들면서, 내 가방까지 가져다가 야무지게 앞뒤로 멘 채 애원하던 엄마 아들의 목소리가 지금도 선명하다. 염소처럼 떨리던 그 간절한 목소리가 안쓰러우면서도 너무 웃겨서, 초인적인 힘을 발휘해 어쨌든 무사히 하산하긴 했다. 주차장에 세워둔 차에 네발로 기어 올라타자마자 말했었다. '향수 사준다고 한 거 거짓말이면 진짜 죽는다, 너.' 그리고 엄마 아들은 정말로 나에게 향수를 사주었다.

이렇게 함께 여행을 다니는 것 이외에도 맛집에 가거나, 쇼핑하러 가는 것 역시 우리 남매에겐 그리 특별하거나 낯선 일은 아니었다. 오히려 지극히 일상적이고 아주 평화로운 일이었다.

그러나 그런 일상적인 평화는 엄마 아들이 결혼 준비를 본격적으로 시작하면서부터 위기를 맞았다.

본가에 함께 살면서 결혼 준비를 했으면 그렇지 않았을 텐데, 엄마 아들은 신혼집으로 먼저 분가해 나가 살면서 결혼 준비를 시작했다. 그러다 보니 무언가 엄마를 모시고 해야 할 일이 생기면 자연히 모두 내 몫이 되었다.

엄마의 혼주 한복을 맞추기 위해 동대문 한복집에 몇 번을 들락날락했었던가. 온갖 빛깔과 종류의 옷감을 일일이 엄마 얼굴에 하나하나 대어보고 입혀보며 디자인을 골라야 했다. 그렇게 옷감과 세부적인 자수 디테일들을 조합해서 디자인을 정하면 또 다른 날에는 가봉을 하러 가야 했다. 그리고 몇 주 뒤 한복이 나왔다는 연락을 받으면, 어떻게 입어야 하는지 설명도 들으러 가야 했다. '자식 결혼시키는 게 처음인 걸 어떡해.' 이미 지칠 대로 지쳐있던 내게 미안했는지 엄마가 머쓱해 하며 나름의 변명을 했다. 그렇지, 그렇긴 한데. 근데 정작 내 자식도 아닌데 나는 이런 경험을 왜 하고 있는 걸까요? 차마 그런 말은 엄마가 더 미안해할까 봐 하지 못했다. 이렇게 내 이마에는, 첫 번째 참을 인 자가 새겨졌다.

상견례 준비를 위해 옷과 장신구를 사러 다니는 것도 만만치 않았다. 정작 나는 참석하지도 않을 상견례였지만, 아무렇게나 입고 가서 앉아있을 엄마의 모습은 내 스스로도 납득 할 수 없었다. 엄마는 대부분의 경우 내가 골라주는 옷과 신발, 가방에 대해 큰 불만 없이 잘 수긍하는 편이었다. 그러나 이번에는 달랐다. 하나뿐인 아들의 혼사와 관련된 중요한 자리라고 생각해서 그랬을까? 엄마는 유독 신중하고 지나치게 까다로웠다. 그럴수록 내 피곤이 두 배 세 배 빠르게 쌓여가는 줄도 모르고. 온 마음을 다해 두 번째 참을 인 자를 새기는 줄도 모르고.

엄마의 퇴근 시간은 나와 잘 맞지 않아 이 모든 과정을 주말에 진행해야 했다. 30여 년의 삶을 사는 동안, 이렇게 주말에 하루도 쉬지 못했던 적이 또 있었던가. 극 내향형 인간인 나는 아무것도 하지 않고 침대 위에 멍하니 누워 쉬는 시간이 꼭 필요한 사람이었다. 그런데 엄마아들의 결혼식을 준비하는 동안, 'I'의 대표주자인 나는 'E'들의 삶을 간접 체험한 것이나 다름없었다. 그것도 자의가 아닌 반 타의로 말이다. 이쯤 되었을 때 나는 이제 보지 않고도 참을 인 자를 쓸 수 있는 사람이 되었다.

이 밖에도 고비는 많았다. 식 당일에 식장까지 모시고 가는 것도, 혼주 메이크업 내내 옆에서 수발을 드는 것도, 결혼식 내내 티 안 나게 엄마를 살피고 상태를 묻고 챙기는 것도, 식이 모두 끝나고 기진맥진한 엄마를 집까지 모셔오는 것도, 허탈함에 눈물을 찔끔 흘리는 엄마를 토닥이는 것도 모두 내 몫이었다. 쓰고 보니 고작 서너 줄도 되지 않는 이 모든 것들을 진행하는 과정이 어찌나 길고 험난했는지, 이게 내 결혼이 아닌데도 이 정도라면 나는 정말이지 결혼을 할 수 없겠다는 생각이 절로 들었다.

게다가 이 모든 것이 더욱 쉽지 않았던 이유는 따로 있었다. 아들의 혼사를 앞두고 시시각각 널뛰는 엄마의 감정을 일일이 돌봐야 했기 때문이었다. 늘 나더러 세상 온갖 예민은 다 끌어안고 사는 사람이라고 고개를 저으며 혀를 차는 엄마는, 본인 표현처럼 예민과는 영 거리가 먼, 무디고 무딘 사람이었다. 그런데 오빠의 결혼을 준비하면서부터 결혼식이 끝나고 한동안은 내가 알던 무던한 엄마가 아니었다. 아마도 일종의 상실감 같은 감정 때문이었으리라 짐작한다. 엄마의 요동치는 감정을 이해하지 못했던 것은 아니었으나, 모든 것을 포용하기엔 내 체력과 인내심은 그리 넉넉하지 않았다. 엄마 아들에게 쏟아붓고 싶은 욕이 목 끝까지 올라오는 것을 몇 번이고 삼키며, 마음속으로 엄마 아들의 이름과 참을 인 자를 나란히 새기고 또 새겼다. 나는 이겨 낸다, 나는 참아낸다. 봐라, 엄마 아들아.

다행히도 내가 참을 인 자를 세 번 이상 깊이 새긴 덕분에, 목숨을 잃지 않은 엄마 아들은 무사히 결혼을 했다. 그리고 너무나도 착한 새언니와 함께 아주 야무지고 즐거운 신혼 생활을 즐기고 있는 것 같다.

물론 엄마 아들의 무탈한 결혼 생활을 지켜주기 위해 나는 아직도 소소하게 노력 중이다.

네이트판에서 자주 접했던, 속칭 '시짤 노릇'을 하지 않기 위해 끊임없이 엄마를 자제시키고 있는 것이 대표적이다. (주로 '새언니한테 먼지 연락하지 마.', '사수 연락하기를 바라지도 마.', '만나서 밥 한번 먹자고 부담 주지 마.'와 같은 3종 세트를 활용한다.)

또 자꾸만 새언니와 함께 본가에 오겠다는 엄마 아들에게 꺼지라고, 그만 좀 오라고 사랑을 가득 담아 거부하는 메시지를 보내기도 한다. 신혼인데, 주말에, 시댁엘? 새언니가 괜찮다고 했다고? 응 그건 네 생각이겠지. 이 바보 인간아.

엄마 아들도 이런 나의 노력을 느꼈는지, 내가 바라는 것을 착실히 수행하고 있다. 결혼을 앞둔 엄마 아들에게 내가 했던 부탁은 딱 하나, 엄마를 서운하게 하지 말아 달라는 거였다. 나에게 잘해주지 않아도 되니까, 엄마 서운하게 하지 마. 간절한 바람이긴 했지만 사실 그걸 잘 지켜주기나 할까 반신반의했다. 그러나 우리 집에서 가장 가방끈이 긴 고학력자라고 우쭐대던 것이 영 헛튼소리는 아니었는지, 내 말의 뜻을 정확히 알아먹은 엄마 아들은 거의 매일 아주 짧게라도 엄마의 안부를 묻고 사소한 일상의 이야기들을 나눈다. 엄마 표현으로는, 같이 살 때보다 더 다정하다나 뭐라나. 그런데 그건 내가 봐도 그랬다. 아무리 딸 같은 다정한 아들이래도 정작 자기 살기 바쁠 땐 엄마를 늘 뒷전에 두곤 했었는데, 결혼 이후 확실히 엄마를 더 신경 쓰는 것 같다는 느낌은 나도 받고 있었다. 물론, 이런 종류의 효도도 엄마 아들네가 해야지 새언니한테 대리효도 시키지 말라는 나의 매콤한 조언도 아주 잘 수행 중이다. 역시 공돌이라 그런지, 입력값만 정확히 입력하면 그 뒤로는 일사천리다.

아무튼 어제도 별것 아닌 일로 통화를 하던 중에, 엄마 아들이 문득 이런 말을 하더라며 엄마가 무심코 이야기를 전해주었다.

"오빠가 너한테 잘해주래."

"엥. 지나 잘하라고 하지 그랬어."

"결혼식 때부터 지금까지 자기 대신 엄마 챙겨주고, 챙기고 하는 게 엄청 고맙고, 또 미안하다고. 오빠가 앞으로 더 잘하겠다고 하대?"

"얼씨구 웬일이래, 철들었네?"

"그러게."

그 당시에는 그냥 별 이야기 아닌 양 듣고 말았다. 당연한 소리를 길게 하는 재주가 있네, 하고 말았던 것이다. 그런데 이제 와 가만히 곱씹어보니 마음 한구석이 찌르르 한 것 같기도 하다. 결혼이 사람을 만들었구나. 우리 새언니가 큰일 해내셨구나. 반품되어 오진 않을까 걱정했는데, 알콩달콩 재밌게 잘 사는 것을 보니 반품 걱정은 덜어도 되겠구나. 내 자식도 아닌데 내가 다 감동적이었다. 그러고 나니, 진심으로 엄마 아들의 행복한 앞날을 응원할 수 있게 되는 것 같았다.

물론 나도 안다.

엄마 아들은 언제나 3년 먼저 앞서 자식의 삶을 살면서, 늘 나 대신 혼나고 제 것을 나누어주며 양보하고 살았다는 것을. 부모님의 기대 어린 눈빛을 온몸으로 버텨내면서도, 정작 동생인 내가 비슷한 부담을 느끼며 길이가서 싫노록 부모님을 설득하고 순간순간마다 내 편을 들어주었다는 것을. 성실하고 똑똑했던 덕에 대학 시절 내내 과외며 학원강사 일을 쉬지 않고 했고, 단 한 번도 방황하지 않고 대기업에 입사해서 또래보다 빠르게 많은 돈을 벌었지만, 넉넉하지 않았던 가정 형편 탓에 번 돈의 꽤 많은 부분을 생활비로 내놓았다는 것을.

이 모든 것을 어렴풋이 알고는 있었다. 그런데 이제 내가 엄마와 우리 집을 책임지는 가장이 되어보니, 엄마 아들이 얼마나 어린 시절부터 버거운 무게를 이고 지고 있었는지를 깨닫는다. 단 한 번 불평도 하지 않고 말이다. 걔라고 그게 쉽진 않았을텐데.

아, 더 쓰면 나중에 다시 읽어보기에 지나치게 낯간지러운 감성 충만한 글이 나올 것 같아서 여기까지만 써야겠다는 생각이 든다.

엄마 아들, 아니 오빠.

진심으로 오빠가 행복하게 잘 살길 기도해.

반품되어 올까 봐 하는 말이 아니고, 진짜로 진심으로. 오빠와 언니가 행복했으면 좋겠어.

내 마음에 새긴 무수히 많은 참을 인 자로 오빠가 행복할 수 있다면, 그걸로 나는 됐어. 이 훌륭하고 착하고 사랑스러운 동생이 살려준 소중한 목숨이니까, 아끼고 아껴서 행복하고 재미있게 살 살길 바라.

에필로그

나래

초등학생 때 내 꿈은 동화 작가가 되는 거였다. 새벽까지 책상 앞에 앉아 어스름한 스탠드 불빛 아래서 해리포터 시리즈를 읽으며 나도 멋진 작가가 되겠다고 꿈꿨다. 그러나 말랑한 상상력을 뽐내기엔 나는 지독히도 현실주의자였다. 현실보다 더 현실적인 이야기들로 어린이들의 마음을 후벼팔 순 없었다. 그래서 동화 작가라는 꿈은 자연히 접게 되었다.

중, 고등학생 때에는 블로그를 원고지 삼아 나만의 소설을 쓰기도 했다. 플롯을 짜고, 인물을 상상하고, 회차 별 내용을 구성하고 배치하면서 무한한 즐거움을 느꼈다. 게다가 독자들의 반응도 열렬했다. 이리디 유핑 작가가 되낸 어쩌나 싶었다. 그러나 그런 걱정이 무색하게도, 나는 그리 꾸준한 사람이 아니었다. 고3이 되던 해, 나의 포트폴리오나 다름없었던 블로그는 완전히 비공개로 전환되었다. 문턱이 닳을 듯 안부 게시판을 오가던 독자들도 자연히 하나 둘 자취를 감추었다. 그렇게 나의 허튼 걱정도 작가로서의 삶도 수면 아래로 퐁당, 가라앉는 듯했다.

방황을 거듭하던 대학교 땐, 장르를 살짝 비틀어 방송 작가가 되어볼까도 생각했다. 방송 작가 아카데미도 수료하고, 프로덕션 면접도 봤고, 잠시 잠깐 막내 작가 일도 했다. 그런데 또다시 현실은 내 발목을 붙들었다. 코딱지만한 박봉에 밤낮없는 워라밸, 그리고 무엇보다도 엄청난 체력이 필요한 일이었다. 모든 것이 나라는 인간과는 단 하나도 들어맞지 않았다. 그리하여 방송 작가라는 꿈도 현실 저 너머로 구겨진 채 던져졌다.

그런 내가 처음으로 세상에 내어놓은 책이 바로 이 책이다.

이 책 역시 나 혼자였다면 완성하지 못했을, 아니 시작도 하지 못했을 것이다. 친해진 것이 신기할 정도로, 나와는 몹시 다른 두 분의 작가님들 덕분이다. 앞에서 이끌어주고, 상상도 못했던 영감을 주기도 하고, 자극제와 기폭제 역할을 톡톡히 해 주신 두 분 덕분에 용기 내어 시작할 수 있었고 이만큼이나마 마무리 지을 수 있었다.

가족에 대한 이야기를 썼지만, 아이러니하게도 가족들에게 이 글을 보여줄 생각을 하니 목덜미에 소름이 오소소 돋는다. 평소에 표현을 잘 하지 않는 딸이고 동생이기 때문일까. 오히려 처음부터 가족들에게는 절대 보여주지 않겠다고 다짐하고 썼기 때문에, 한 글자 한 글자에 더 큰 진심들을 눌러 담을 수 있었다.

어차피 못 볼 글이니까, 한번 더 진심을 다해.

엄마, 그리고 엄마 아들.
언제나 고맙고 사랑합니다.

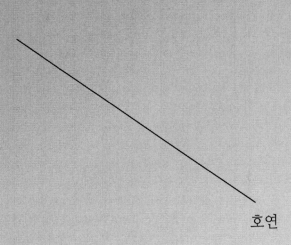

호연

　글쓰기에 대한 부담이 커서 출간에 대한 고민을 정말 많이 했고, 출간까지의 과정도 꽤 고통스러웠다. 하지만 내 인생에 한 획을 그을 만큼 좋은 결정이었다.

　내 삶에서 가족이라는 존재가 너무나 애증의 관계이기 때문에 한 번쯤 막연히 글을 써 봐도 좋겠다고 생각은 했었다. 그래서 소재를 '가족 이야기'로 잡은 것이 그나마 글쓰기에 대한 부담감을 줄이는 데 큰 역할을 했다. 글쓰기에 서툴러 약간의 아쉬움은 남지만 뿌듯한 경험이었고, 내 이야기를 읽는 사람들에게 작은 공감이라도 안겨줄 수 있지 않을까 하는 기대감에 몹시 설렌다.

가족은 너무 편하고 당연한 관계라서 함부로 대하기 쉽다. 타인에게
는 온갖 친절한 척으로 위장하며 정성을 쏟는다. 그러나 정작 내게 가
장 소중한 가족에게는 그렇게 대하질 못한다. 이 글을 쓰면서도 '오늘
은 부모님께 상냥하게 대해야지!' 다짐하지만 정작 집에 가면 또 툴툴
대고 있을 거라 장담한다. 이 부분은 부모님도 똑같을 것이다. 밖에서
는 세상 친절하고 좋은 사람 같지만 딸에게는 모든 요구가 당연하고
또 쉽게 섭섭해하신다.

서로를 많이 사랑하지만 그만큼 서로에게 상처주는 관계가 죽을 때
까지 이어질 것이다. 부모님이 돌아가시면 그제서야 땅을 치고 후회
하겠지... 알면서도 안 바뀌는 참 묘한 관계가 가족관계 같다.

나는 아직 이 책을 부모님께 드릴 용기가 없다. 아마도 몇 년 뒤쯤...?
내가 좀 더 철이 들면 그때서야 수줍게 이 책을 내밀 수 있지 않을까
기대해 본다.

물듦

기억을 묻으면 거기서 나무가 자란다. 그 나무를 이 책에 심는다.

가족.
나에게 이름이 없는 사람들.
'엄마', '아빠'라 부르지만 한 번도 이름을 불러보지 못한 사람들.
앞으로도.

이름은 없지만, 인생에 가장 강렬한 기억을 남기는 그들. 우리는 어쩌면 그들의 이름이 하찮아서 부르지 않는 것이 아니라, 너무 소중해서 함부로 입에 담지 못하는 것일지도 모른다.

기억.

그것들이 끈적인다. 서로 들러붙어 하나를 꺼내도 줄줄이 기어 나온다. 축축하게 젖어있는 내 문장을 빤히 본다. 글은 영문을 모르겠다는 표정을 짓는다. 그 태생지인 내 속마음이 그늘진 거면서 뭘 그리 보냐는 듯.

글에 기억을 토해내면 놀랍게도 그 기억 속 감정이 흐리멍덩해진다. 눈에 보이지 않고 색이 없던 감정을, 또렷한 검은색으로 그리고 고체인 글자로 만들어버리면, 그 순간 감정은 멈춘다. 그저 검은색 획이 되어버린 감정들. 그래서인지 자꾸 가슴 속 아련함을 꺼내게 된다. 내 안에 두고 싶지 않아서.

'아지'에 관한 글을 쓸 때도 쓰다가 펑펑 울었다. 아마 그 녀석을 보낸 날 이후로 가장 크게 소리 내서 울었던 날일 것이다. 퇴고를 위해 다시 읽으니 또 눈물이 났다. 맞춤법을 살피고 단락 구성을 하려고 또 읽고 또 읽고, 그렇게 반복하니 더 이상 눈물이 나지 않았다. 그렇게 글로써 치유 받는다.

느루.

글에 대한 욕구는 있으나 스스로의 게으름을 잘 알기에 이 책을 쓰자고 제안했다. 그냥 쓰는 것도 아니라 지역구 지원받아서. 즉, 책을 내지 않고는 못 견디게 만들었다. 그래야 내 몸은 일을 한다.

이 책이 인생의 한 점이라면 '느루'와 함께 그 점을 남길 수 있어 감사하다. 서로 다른 모양이지만 비슷한 색을 가진 우리. 혹은 서로 비슷한 모양이지만 다른 색을 가진 우리.

남은 인생도 '우리' 그리고 '느루'라고 일컫는 인연이길.

ISBN 979-11-980802-0-2

‖‖‖

엄마 몰래 내 본 책

ⓒ 김나래 김은주 박은숙

발행 2022년 11월 22일

글 · 그림 나래(김나래) · 물듦(박은숙) · 호연(김은주)

발행처 만물

등록번호 제 2022-000024호

ISBN 979-11-980802-0-2 03800